Lun

Peut-on échapper à la monotonie du couple ? Esquiver l'ennui par l'adoration, la lassitude par l'érotisme ? Telle est la question implicite que se posent les personnages de ce roman à bord du paquebot qui, dans les derniers jours de l'année 1979, les mène de Marseille à Istanbul. Le récit que l'un d'entre eux, Franz, fait à un autre voyageur, Didier, de ses amours avec une certaine Rebecca, également présente, sert de fil conducteur à leurs interrogations. Récit dont l'enjeu caché ne manquera pas d'infléchir à son tour les relations du voyageur et de sa compagne, Béatrice, avec laquelle il part en Inde pour s'évader d'une existence d'enseignants trop bien réglée.

Double histoire et d'une déchéance amoureuse et d'un huis clos à l'intérieur d'un navire, *Lunes de fiel* est avant tout un roman de la cruauté. Des êtres en proie au désemploi de soi y cèdent à la fascination du bonheur dans la haine. *Lunes de fiel*, on l'aura compris, c'est l'autre face de notre rêve contemporain d'euphorie obligatoire, c'est la mise en scène des impasses de la vie privée dès lors qu'elle se replie sur elle-même et succombe sous le poids de sa propre frivolité.

Pascal Bruckner est né en 1948 à Paris. Docteur en philosophie, il a publié des essais dont Fourier, *dans la collection « Écrivains de toujours »,* le Nouveau Désordre amoureux *(en collaboration avec Alain Finkielkraut), dans la collection « Fiction & Cⁱᵉ », etc. Et plusieurs romans, dont* Allez jouer ailleurs *(au Sagittaire).*

Du même auteur

Fourier
essai, coll. «Ecrivains de toujours», 1975

Le Nouveau Désordre amoureux
essai en collaboration avec Alain Finkielkraut
coll. «Fiction & Cie», 1977
coll. «Points Actuels», 1979

Au coin de la rue, l'aventure
essai en collaboration avec Alain Finkielkraut
coll. «Fiction & Cie», 1979
coll. «Points Actuels», 1982

Lunes de fiel
roman, coll. «Fiction & Cie», 1981

Le Sanglot de l'homme blanc
essai, coll. «L'histoire immédiate», 1983
coll. «Points Actuels», 1986

Parias
roman, coll. «Fiction & Cie», 1985
coll. «Points Roman», n° 270

Le Palais des claques
roman, coll. «Point-Virgule», 1986

La Mélancolie démocratique
coll. «L'histoire immédiate», 1990

Monsieur Tac
roman, Sagittaire, 1976

Allez jouer ailleurs
roman, Sagittaire, 1977
prix de la littérature fantastique, 1979

Nostalgie Express
récit, éditions des Autres, 1978

Qui de nous deux inventa l'autre ?
Gallimard, 1988

Pascal Bruckner

Lunes de fiel

roman

Éditions du Seuil

La première édition de cet ouvrage
a paru dans la collection « Fiction & Cie »

TEXTE INTÉGRAL.

EN COUVERTURE : illustration Gilbert Raffin.

ISBN 2-02-006186-4.
(ISBN 1ʳᵉ publication : 2-02-005856-1.)

© 1981, ÉDITIONS DU SEUIL.

Veille à ne pas disparaître dans la personnalité
d'un autre, homme ou femme.

Scott Fitzgerald.

pour Brigitte

Premier jour :

Le charme des inclinations naissantes.

L'éternité, monsieur, commença pour moi un soir de juillet dans l'autobus 96 qui fait la navette entre Montparnasse et la porte des Lilas. C'était il y a quatre ans. Au carrefour de l'Odéon, une jeune fille, vêtue d'une jupe noire à volants, les chevilles gainées de longues socquettes blanches, vint s'asseoir en face de moi. Instantanément mes regards se fixèrent sur elle. Je fus littéralement ébloui par ce visage que je contemplais en retenant mon souffle. Je ne sais ce que j'admirais le plus en lui : ses joues qui semblaient une pâte pétrie dans le lait ou ses cils qui caressaient des yeux verts tout en faisant barrage aux œillades indiscrètes. Je ne la voyais pas, j'étais aveuglé, hypnotisé et n'avais qu'un désir : l'aborder ; qu'une terreur : la laisser partir. Mon admiration devait manquer de mesure car l'inconnue tourna bientôt la tête avec un soupir excédé et j'eus peur un instant qu'elle ne changeât de place. Mais cette réticence à laquelle je trouvais du raffinement ne me la rendit que plus chère.

Ne riez pas de l'autobus : il n'est pas de lieu d'élection pour un coup de foudre. Même une boîte roulante peut devenir l'antichambre du paradis si l'on croit au hasard. Ma préférence ira toujours à l'être de rencontre sur celui que me présentent des amis : car le sort qui arrangea notre conjonction continuera mystérieusement, je l'imagine, à la féconder. Et l'imprévu demeure la seule puissance capable de rendre de la chaleur à la vie.

La terreur me venait donc de ne pas trouver une seule parole pour rompre le silence, de gâcher l'occasion de ce face-à-face rapide. Comment éviter les premiers mots éternellement semblables, se montrer à la fois délicat, original, séduisant, tentateur ? Grave question qui fut, je le suppose, celle du Diable au dernier soir de la Création. Un contrôleur vint à mon secours : je ne remercierai jamais assez la RATP de sa coopération. Il réclama nos titres de transport. Ma belle voisine prétendait avoir perdu son ticket à terre. Nous étions tous penchés à chercher parmi les détritus le petit carton jaune. Déjà l'employé préparait le procès-verbal. Elle avait baissé les yeux, rouge de confusion : je compris qu'elle mentait. Ce trouble m'alla droit au cœur. A l'insu de tous, dans sa main, je glissai mon propre ticket que je venais d'exhiber au préposé. Elle eut un moment de stupeur puis me sourit. Le contrôleur s'éloigna. J'étais sauvé : nous avions une histoire. Vous comprendrez qu'après cela, je dise non à la gratuité des transports en commun. Ma fraudeuse me remercia d'une pression de la main mais commit l'insigne maladresse de me restituer le ticket. Une dame qui nous épiait, grosse volaille en permanente, repéra notre manège et héla le contrôleur. Le bus venait de s'arrêter à Saint-Paul : je n'eus que le temps de décocher un pied de nez à notre délatrice et de descendre. J'étais perdu, j'aurais pleuré de rage : j'adressai à ma complice de grands signes de la main mais le véhicule l'arracha bientôt à ma vue. J'errais comme un damné : Paris n'est pas grand mais les êtres peuvent y disparaître comme dans un puits. Je n'avais plus qu'un désir : la revoir à tout prix, dussé-je y passer l'été.

L'homme qui me tenait ces propos se trouvait à mes côtés dans une cabine de paquebot, en pleine mer Méditerranée. C'était la nuit. Les jambes couvertes d'un plaid, assis dans un fauteuil, il promenait des yeux inquiets et fuyants qui se posaient par intervalles sur les miens. Il avait un visage défait, sur lequel on ne pouvait mettre aucun âge mais où restaient pourtant quelques traces de jeunesse. Toute sa personne dégageait une étrange inquiétude, une nervosité contenue. Ce soir-là, bien que distant — car j'ai haï Franz dès notre premier entretien, d'une haine proportionnelle à l'ascendant qu'il exerçait sur moi —, j'étais encore loin d'avoir percé la conscience de cet homme pervers. J'écoutais simplement le débit régulier de ses phrases, sa voix de verrou grinçant qu'accompagnait le ronron mélancolique d'une bouilloire à thé.

Mais qu'on me permette de préciser les circonstances de notre rencontre. Je venais d'avoir trente ans et partais pour l'Inde avec Béatrice, ma compagne. Nous étions heureux, certains d'aller au-devant d'une vérité. C'était le 28 décembre 1979. Nous avions quitté Marseille ce matin-là à bord du *Truva*, ferry-boat turc qui assure, via Naples-Venise-Le Pirée, la dernière liaison maritime entre la France et Istanbul. Si d'évidentes raisons nous poussaient à quitter quelques mois l'ennui d'un métier dévalorisé — j'étais enseignant de lettres dans un lycée parisien, Béatrice professeur d'italien —, nous fuyions surtout aimantés par l'Orient. Il y avait dans ce mot un poudroiement d'or fin, une aurore rayonnante qui me ravissaient. Je vibrais à sa splendeur imprécise, et mon préjugé pour cette terre lointaine tenait, je crois, de la ferveur. J'allais en Asie, au-devant d'un désordre sacré que l'Europe ne m'offrait plus, afin d'abandonner tout ce qui ne m'était pas indispensable. Pour ce voyage, que nous préparions depuis longtemps, j'avais pris une année de disponibilité à l'Éducation nationale et travaillé tout l'été dans une compagnie d'assurances. Le désir d'arriver jusqu'à l'Inde par petites étapes, l'envie de perdre notre temps au début d'un long périple avaient motivé notre choix du bateau, d'autant que la ligne, bon marché et déficitaire, était promise à disparition.

Qu'on se représente l'atmosphère d'espoir, d'indétermination d'une traversée à ses débuts. Un paquebot, si modeste soit-il, est plus qu'un moyen de transport : un état d'esprit. Une fois la passerelle franchie, la vision du monde change, on devient citoyen d'une république particulière qui est un lieu fermé et dont les occupants sont tous oisifs. Tout de suite j'avais aimé la façon dont les couloirs étouffaient les bruits, et les lourds relents qui y traînaient, mélange d'odeurs marines et de caoutchouc chauffé. Le *Truva*, vieux liner norvégien réarmé par les Turcs, n'avait rien d'un mastodonte avec sa petite cheminée plantée sur l'échine comme un dé à coudre renversé. Notre cabine, coincée entre deux cloisons métalliques, était un étroit placard meublé de lits superposés et d'un minuscule lavabo. « Quel beau caveau, avait dit Béatrice en entrant, tu prends le sarcophage du haut, moi celui du bas. » Le verre à dents tremblait contre l'armature de fer du lavabo et toute notre petite chambrée frémissait des trépidations du moteur. Nous avions des quartiers modestes mais la perspective de souriantes promiscuités amoureuses nous consolait de l'absence de luxe et d'espace. Et puis il y avait un hublot, et j'ai toujours trouvé un charme particulier au hublot : le charme de tout voir sans être jamais vu. C'est le petit trou de la serrure où l'on va surprendre les secrets de la mer, un face-à-face sans danger avec le monstre salé, un bon tour joué à l'adversité des éléments liquides.

L'immensité a besoin d'être abordée par cette lucarne, encore plus émouvante quand elle est encadrée de rideaux et donne à la cabine l'allure d'une maison de poupée. Et derrière chacune de ses œillères, il y a une habitation, des êtres animés, mille destins entrecroisés.

D'ailleurs, le matin de notre départ, à Marseille, il faisait un temps d'une miraculeuse beauté : le soleil frappait les flancs de la coque, et sous ses feux notre bâtiment écaillé étincelait comme un morceau de sucre.

J'étais heureux, nous avions l'approbation de la lumière c'est-à-dire des dieux, et j'y voyais un bon augure pour le reste du voyage. Nous savourions la consistance glacée de l'air, pareille à un sorbet, qu'un vent de terre imprégnait de parfums d'aromates et de pins sylvestres. Au loin d'autres paquebots, joujoux blancs, coupaient la soie de l'horizon. Jamais je n'avais ressenti une impression de béatitude comparable. Troublé de sentiments purs, regardant les côtes françaises s'estomper dans une buée lumineuse, craignant parfois encore d'être le jouet d'un songe, j'avais peine à refréner mon exaltation.

Ce premier jour d'une traversée qui devait en compter cinq fut extraordinaire par l'impression de vide heureux qu'il me laissa. Chacun sait qu'il n'arrive jamais rien à bord d'un navire mais qu'on y éprouve un ennui de qualité supérieure qui ressemble à de l'euphorie. La moindre platitude entre Béatrice et moi prenait dans le contexte du départ valeur de talisman. Cette odyssée nous mettait l'âme au vert, et nous conversions avec volubilité sur les longues plaines des ponts, sans voir personne, tout absorbés l'un par l'autre. Depuis cinq ans que nous vivions ensemble, c'était notre première escapade : nous avions peu vécu mais beaucoup par procuration à travers les centaines de livres que nous avions lus. Notre couple était une bibliothèque, les *in-folio* nous tenaient lieu d'enfants et de voyages. Et nous avions longtemps hésité avant d'entreprendre cette pérégrination qui bouleversait nos plus chères habitudes. Béatrice avait la beauté frappée d'une Anglo-Saxonne et, quoique de mon âge, avait su garder un charme d'adolescente. Son corps lui-même hésitait entre la fillette et la femme, et n'eût été la longue cascade de vagues fauves qui encadrait un visage ravissant, grave parfois, on lui eût donné vingt ans à peine. Je l'appelais ma « dévolue », et nous nous disions dans l'oreille des secrets que tout le monde connaît mais que nous ne voulions pas ébruiter.

Au déjeuner nous n'étions pas nombreux, trente à peine, dans un restaurant panoramique qui occupait toute la largeur du navire et pouvait contenir au moins deux cents personnes ; resserrée sur quatre tables, la petite troupe sympathisa aussitôt. Les repas sont les grandes distractions des croisières : on y inspecte ses compagnons pour deviner qui ils sont, ce qu'ils font, ce qu'on fera avec eux. Dans cette vie de confinement, les inconnus prennent une importance extrême, et un désir de connaissances agréables rôde dans l'esprit des passagers. Il y avait là, outre les inévitables contingents d'Allemands et de Hollandais poussés sur les routes par la prospérité de leur monnaie, un couple d'Anglais, deux autres Français, quelques Italiens et un petit groupe d'étudiants grecs et turcs. Je croyais voguer sur une arche où l'on aurait entassé un spécimen de chaque pays limitrophe de la Méditerranée. Ne sachant comment converser, et après avoir essayé plusieurs langues latines, on convint de retenir l'anglais comme idiome commun. Très peu le parlant correctement, il s'ensuivait de longs retards dans le débit des mots, des quiproquos qui faisaient rire, et chacun mangeait, buvait comme si l'on ne devait pas nous servir d'autre repas d'ici l'arrivée. Je m'abandonnais sans retenue à l'agrément de nous découvrir les uns les autres, ne fût-ce que par les yeux, pensant que demain, peut-être, nous appellerions tous ces gens par leur prénom.

Nous sortions de table quand Béatrice me demanda de l'attendre deux minutes devant une porte des lavabos réservés aux femmes. Elle tardait à revenir ; à contrecœur, je pénétrai à mon tour dans les lieux. Je la trouvai penchée sur une jeune fille en larmes dont le maquillage avait noirci les joues.

— Que se passe-t-il ?

— Elle a fumé trop de joints, me répondit Béatrice.

Je ne pus dissimuler un haussement d'épaules.

L'inconnue redoublait de sanglots. Elle était vêtue d'un anorak fourré et d'un jean. Nous ne l'avions pas vue au déjeuner. Ses lamentations m'irritaient. A nos questions elle répondait par monosyllabes comme si notre curiosité l'importunait, paroles confuses d'où ressortait sa rage d'être à bord et son impatience de quitter le navire. Elle nous dit s'appeler Rebecca. Elle en était arrivée à un état d'abrutissement où cesse tout souci de l'apparence.

— Vous allez où ? parvint-elle à articuler d'une voix pâteuse.

— Istanbul d'abord, l'Inde ensuite et peut-être la Thaïlande.

— L'Inde, mais c'est complètement démodé !

Je ne répliquai rien, mettant cette réflexion sur le compte de l'ivresse.

— Je vais te reconduire dans ta cabine, lui dit Béatrice.

— Tu... tu es gentiille... tes cheveux me rappellent le... gâteau de miel de Roch Hachanah.

— Viens sur le pont, le grand air te fera du bien.

Je dus la soutenir tout au long du couloir ; le soleil alluma une chaîne et un pendentif à son cou : deux doigts pointés contre le mauvais œil. Elle s'était remise à délirer, passant du rire aux larmes, ânonnant des phrases sans suite qui la faisaient pouffer. J'avais honte et redoutais qu'on ne nous vît en sa compagnie. Sentant ma réserve, Béatrice me demanda gentiment de les laisser.

A son retour j'eus un commentaire désabusé sur l'amertume de retrouver en pleine mer les enfants paumés de la Huchette et de Saint-Michel.

— Ne dis pas cela, Didier, elle est jolie et paraît très malheureuse.

— Son malheur ne m'intéresse pas et sa beauté ne m'a pas frappé.

L'incident fut clos par une série de baisers, et un après-midi aussi calme et enchanteur que le matin commença. Le petit pont où nous étions allongés pour lire, moi la *Bhagavad Gîtâ*, Béatrice un roman de Mircéa Éliade, était une vraie terrasse tranchée au rasoir sur le ciel et abritée du vent par la cheminée. Seul le bruit des pages que tournait ma compagne coupait le lointain froissement de l'eau contre la coque et le halètement des machines. Toute volonté défaillait, nous nous blottissions dans la chaleur, transis par la lumière qui rebondissait de la proue à la poupe sur cet immense palais d'acier blanc.

Au coucher du soleil et tandis que tombait une nuit glacée, nous goûtâmes dans notre alcôve une sainte heure de volupté. Comblé par tant d'émotions, je me serais endormi tout de suite si Béatrice n'avait insisté pour que je l'accompagne à dîner. Comparée à la sérénité imposante du dehors, la vaste salle à manger quoique à peine remplie bourdonnait comme une ruche ; et l'on eût dit que la petite cargaison qui la peuplait, carrée dans ses murs palpitants, puisait de l'hostilité froide de la mer des trésors d'intimité et de liesse. A table, nous fîmes la connaissance de l'unique passager indien du bord — un sikh naturalisé anglais, médecin de profession qui vivait à Londres et se rendait à Istanbul pour un congrès d'acupuncture. Raj Tiwari, c'était son nom, eut un grand rire quand il me vit avec la *Bhagavad Gîtâ* sous le bras.

— Savez-vous que personne ne lit plus cela en Inde. Hormis les nostalgiques.

— C'est pourtant la base de votre culture ?

— Pas plus que la Bible n'est la base de la vôtre. Et puis attention : les dieux supportent très mal l'exportation. Divinité terrifiante à Calcutta, Kali n'est plus qu'une idole de plâtre à Paris.

— Didier veut se retirer dans un ashram, dit Béatrice, taquine.

18

— Pour traire les vaches toute la journée ? Quelle drôle d'idée quand on a une aussi belle femme que vous !

Nous rîmes tous trois et la conversation dériva. Raj Tiwari, vêtu d'un costume de tweed, parlait un anglais châtié et avait cette noblesse de traits propre aux Indiens adultes. Notre enthousiasme pour l'Inde l'étonna et par trois fois il nous demanda pourquoi nous n'allions pas plutôt à Singapour ou Taiwan, pays propres et modernes. Ces restrictions me décontenançaient mais ses manières affables, les compliments qu'il ne cessait d'adresser à Béatrice nous encouragèrent à le suivre après dîner au bar des premières, tout en boiseries d'une chaude couleur de miel, avec des accoudoirs de cuir épais et un piano blanc recouvert d'une housse. Nous qui buvions rarement entrâmes bientôt, grâce à la bonne qualité du gin et du bourbon, dans une joyeuse ébriété, et Béatrice se montrait la plus bruyante et la plus exubérante de nous trois. Notre hôte était en verve, et pour la faire rire plus encore tenait les discours les plus insensés.

— Juste avant de quitter l'Inde, les Anglais pour l'occidentaliser à tout jamais avaient parsemé la péninsule de poulaillers ultra-modernes. Sélectionnées, bilingues, diplômées des meilleurs collèges, ces poules avaient la particularité de pondre des œufs tout prêts, à la coque, durs, mollets qui partaient directement sur la table des colons. Sachant les gallinacés peu réceptifs à la propagande politique, le gouvernement britannique comptait sur ces réalisations spectaculaires pour faire échec au mouvement autonomiste de Gandhi. On allait créer la poule omelette, une petite contorsion du bassin poussée sur un air de ragtime suffisait à mélanger les jaunes et les blancs — les poules choisies avaient pris des cours de claquettes —, quand la propagande non violente atteignit les volatiles eux-mêmes qui déclenchèrent la fameuse grève du petit déjeuner, la « bacon and eggs strike ». L'Indépendance de 1947 sonna le glas de ces élevages : les poules collaboratrices durent abandonner l'anglais et revenir sous peine de sanctions à la ponte des œufs crus.

Quoique parfaitement farfelue, cette histoire et quelques autres déclenchèrent chez nous des fusées de gaieté que favorisait l'alcool. Et c'est dans les meilleures dispositions que nous prîmes congé de Tiwari après qu'il m'eut demandé la permission d'embrasser Béatrice sur les joues. Cette beuverie nous avait divertis ; je couchai mon amie avec force câlins et, lui promettant de revenir tout de suite, sortis sur le pont pour dissiper l'ivresse. L'air froid me brûlait les narines, la lune était pleine et je regardais la vibration phosphorescente de notre sillage qui malgré les ténèbres éclairait la mer derrière nous avant de disparaître dans la nuit. Une nappe laiteuse ruisselait sur les parois et les canots de sauvetage, un petit vent sec faisait craquer les cordages. Mes pas me conduisirent tout naturellement aux étages supérieurs du paquebot qui abritaient, outre une piscine, fermée l'hiver, un petit bar qui servait aussi de discothèque. J'y entrai, me jurant de n'y rester que quelques minutes. Se trouvaient là une dizaine de mâles ; et une fille qui dansait seule au milieu de la piste, moulée dans un pantalon de satin noir. Je m'assis et la considérai, m'imprégnant du spectacle de sa gorge tendue, de ses reins cambrés, de ses bras qui battaient l'espace comme une paire d'ailes. Sa silhouette tournoyante, la rapidité aérienne de ses postures formaient un dessin attachant. Qui pouvait-elle être ? Elle ne regardait personne, glissait sur les planches avec l'aisance d'une voile, prise sous une coupole de luminosité qui l'aspirait vers le haut, quand, subitement, cessant de tourbillonner, elle quitta la piste et vint s'asseoir au bar. A ma surprise, je crus reconnaître la jeune fille en larmes de l'après-midi. J'allai vers elle. Autant je l'avais trouvée fade et ridicule après le déjeuner, autant elle me parut ce soir-là des plus attirantes. Elle avait allongé au fard ses paupières, couvert ses pommettes de carmin et l'arête du nez très droite, ses cheveux sombres ramenés en arrière lui donnaient une légère touche orientale.

— Comment allez-vous depuis tout à l'heure ?

— Qu'est-ce que ça peut vous faire ?

— Mais... mais vous pleuriez dans les lavabos, vous ne vous souvenez pas ?

— Vous devriez trouver autre chose pour aborder les filles.

Cette brutalité m'interloqua ; et dans la gêne je suis rien moins qu'un homme à reparties faciles. Dépité, je m'éloignai. Elle me rappela :

— Viens, bien sûr que je t'ai reconnu ; mais je reconnais qui j'ai envie.

Dans cette phrase, je n'avais entendu que le tutoiement ; et pourtant, malgré sa familiarité, elle parlait avec une sorte de bravade triste. Ses longs yeux en amande, murés derrière leur encoche, me regardaient sans me voir comme si elle laissait transparente l'idée de mon existence.

— A quoi jouez-vous ?

— Je joue à mener le jeu.

Elle éclata de rire. C'était à la fois burlesque et pénible.

— Tu viens danser ?

— Oh... oh non, je danse très peu.

J'étais déjà si mal à l'aise que je serais mort de peur de m'exhiber à côté d'elle ; je suis brillant parfois où il me suffirait d'être moyen mais toujours transi dans les lieux de réjouissances obligatoires.

— Ça ne m'étonne pas, tu es raide comme un scout.

Elle eut un autre petit rire et ses yeux étirés corrigèrent un instant la sévérité de son visage. Un millier de banalités, de questions conventionnelles se pressaient dans mon esprit. Elle me demanda mon nom qui parut la décevoir. Je ne savais plus ce qu'elle voulait et ne trouvais rien à répliquer. Mon attitude piteuse devait être comique.

— Didier, dis-moi quelque chose de drôle, distrais-moi.

Je restai hébété par cette intimation. J'étais mécontent de ne pouvoir suivre cette conversation. Je me sentais nerveux et à mon anxiété habituelle venait s'ajouter la notion exaspérante de ne pas savoir me conduire avec ce genre de femmes. Le badinage tournait à l'épreuve de force. Je m'abandonnais à l'embarras : je suis un timide et quand le sort m'est défavorable je dis Mektoub ; j'approuve l'irréversible, je ne veux pas savoir que tout peut se renverser, se modifier. L'insolence de cette fille, ses brusques volte-face m'irritaient. A présent, elle regardait au loin sans plus se soucier de moi.

— Tu... tu boudes, lui demandai-je, m'essayant à mon tour au tutoiement, peut-être dans le vague espoir de me rattraper.

Elle haussa les épaules.

Voulant faire une plaisanterie, au moins une, je lui demandai encore en détachant chaque syllabe :

— Tu es cou-rrou-cée ?

— Qu'est-ce que ça veut dire ?

— Courroucée ? Ça veut dire fâchée.

Elle se leva.

— Tu es trop drôle pour moi, mon chéri, j'ai un point de côté à force de me plier en deux.

— Tu... tu remontes déjà ?

— Oui. Bonsoir. Je vous laisse à votre facétieuse et captivante personnalité.

Ces derniers mots me blessèrent plus que tout. Non seulement elle avait rétabli le vouvoiement, c'est-à-dire la distance, mais en parlant de mes facéties et de ma personnalité, elle soulignait cruellement combien j'étais dépourvu des unes et de l'autre. Quel imbécile je faisais ! Et pourtant « courroucé » est un mot de la langue fran-

22

çaise, ce n'est pas de ma faute si les nouvelles générations utilisent un vocabulaire restreint. A trente ans, m'être laissé dérouter par les provocations d'une adolescente qui aurait pu être mon élève quand le premier boutonneux venu l'aurait mouchée en quelques formules. Soudain, je m'avisai que je ne lui avais même pas demandé où elle allait, si elle était seule à bord. Je n'avais plus sommeil, commandai à boire et laissai passer une autre heure à ruminer cet incident. Quand je retournai vers ma cabine, plongé dans mes pensées, je dus faire fausse route car je me retrouvai bientôt dans le couloir des premières. Ces longs corridors déserts aux lumières vacillantes, le silence que rompaient de distants coups de marteaux, les ombres que je voyais défiler sur les murs, toute cette nuit sur toute cette vie en gésine me firent un étrange effet. Au hasard, j'ouvris une porte et débouchai sur une passerelle : le froid était vif et l'on n'y voyait goutte. Soudain j'entendis derrière moi comme une plainte. Je me retournai sans rien distinguer. Le même son se renouvela : scrutant les ténèbres, je crus apercevoir une forme. Une silhouette était là aux aguets. Je tressaillis et m'apprêtais à revenir à l'intérieur quand une main puissante m'enserra le bras.

— C'est vous Didier ?

La solennité de cette question, cette parole basse et sifflante m'avaient violemment ému. Et par-dessus tout la force de cette main ! J'attendais un agresseur : ce fut un handicapé dans une chaise roulante qui apparut. Je ne l'avais jamais vu. La figure ravagée, les cheveux clairsemés, il me fixait avec des yeux hagards qui dans l'obscurité prenaient une dimension presque effrayante.

— C'est vous Didier, n'est-ce pas ? Prenez garde, prenez garde à elle...

— De quoi, de qui parlez-vous ?

J'avais du mal à maîtriser les sensations qui affluaient en moi. J'aurais bien voulu m'en aller mais cette main

23

aux serres de granit me bloquait dans un étau : on eût dit que le corps s'était vengé de son atrophie en développant sans mesure ses extrémités. Le long des poignets, par le réseau saillant des veines, coulait une force qui semblait pouvoir broyer tout ce qui lui résistait. L'infirme avait rapproché de moi son triste faciès blafard. Il se mit à glapir :

— Elle, je parle de Rebecca bien sûr, la jeune fille avec qui vous avez discuté tout à l'heure. Ne vous brûlez pas à son contact : elle sème des pièges partout où elle passe. Regardez ce qu'elle a fait de moi : quelques années ont suffi pour ce résultat.

Et soulevant un plaid de laine qui reposait sur ses genoux, il me montra ses deux jambes mortes et pendantes.

— Mais... comment savez-vous que je l'ai vue, comment savez-vous mon nom ?

— Elle vient de me raconter votre entrevue et vous a décrit. Je vous ai tout de suite identifié.

— Que me voulez-vous à la fin, lâchez-moi, tout cela est ridicule...

— Beaucoup moins que vous ne le pensez. Avez-vous remarqué, monsieur, comme les femmes désirent surtout les hommes bien accompagnés. Une jolie personne à leur côté leur donne tout de suite une valeur incomparable, fussent-ils laids ou ingrats. C'est ce qu'a éprouvé Rebecca en vous voyant avec votre amie.

— Vous êtes quoi pour elle, allez-vous me le dire ?

— Pardonnez mon impolitesse. Je me présente, je m'appelle Franz, je suis son mari.

Il lâcha mon bras pour me serrer la main avec une effusion qui me parut déplacée. Je frissonnais : le brouillard et la nuit me glaçaient jusqu'aux os et ce dialogue dans le noir me semblait le comble de l'absurdité.

— Vous avez froid, n'est-ce pas ? Rentrons.

Il fit pivoter sa chaise mécanique qu'il actionnait à la

24

main et poussa la porte palière. Machinalement je le suivis. Une fois dans le couloir, il reprit :

— Didier, vous permettez que je vous appelle par votre prénom ? Didier (il marqua un temps d'hésitation), que pensez-vous de mon épouse ?

Je sursautai.

— Mais... mais je la trouve très séduisante.

— N'est-ce pas ? Et comme elle est bien faite !

— Certainement.

— Ah le coquin ! Elle vous plaît, vous l'avez reluquée avec des yeux gourmands.

— Mais, pas du tout...

— Allons, pas de fausse honte, vous me vexeriez. D'ailleurs, je suis sûr que nous vous intriguons. Si, si, je le sens. Vous savez qui est Rebecca, vous ne savez pas tout ce qu'elle est. Aimeriez-vous en connaître plus sur son sujet ?

Je ne sais comment, sur le coup, le ridicule de cette proposition ne me sauta pas aux yeux. Je devais être engourdi par l'heure tardive. D'abord je déclinai, car je commence toujours par dire non, arguant que leurs affaires privées ne me regardaient pas. Mon refus ne devait pas être très convaincant.

— Vous avez une si gentille façon de dire non en même temps que votre regard dit oui. Voyez-vous, je vous connais à peine, toutefois les moindres particularités de votre personne révèlent le confident que j'attends depuis des années. Et puis j'ai un principe dans la vie : il faut se méfier des êtres qui vous aiment car ils sont aussi vos pires ennemis. C'est pourquoi je ne me livre totalement qu'à des inconnus. L'attention que vous me portez est tout à votre honneur car je réalise le peu de chance qu'a de vous toucher une aventure qui ne vous concerne pas... à moins qu'elle ne vous concerne déjà ?

— Je ne vois pas en quoi.

— Je ne sais, une intuition. Alors, acceptez-vous ?

J'émis quelques objections puis, sans vraiment opiner, consentis mollement. Pourquoi ne pas l'avouer, le côté romanesque de la situation flattait ma cervelle d'enseignant toute farcie de fatras littéraire, je suivis donc Franz dans sa cabine, une pièce de taille moyenne, tapissée de lattes de bois et trouée de deux hublots. Quoique en première classe, il n'y avait là rien qui pût m'éblouir. A la lumière, le visage de l'infirme ressemblait à un miroir plombé où s'était jadis peut-être reflétée la joie de vivre mais qu'une taie avait irrémédiablement recouvert. Ses yeux d'un bleu pâle étaient deux flaques d'eau froides et amères.

— Déçu, n'est-ce pas ? Même les premières classes ressemblent à un drugstore ! Un décor de Galeries Lafayette et en guise de bonne société d'épais Nordiques et des travailleurs immigrés. Bon, assez gémi ! Voulez-vous du thé ? C'est du Darjeeling.

Darjeeling : la ville où nous rêvions d'aller, Béatrice et moi. N'y avait-il pas là une coïncidence ? L'infirme sortit d'une valise une bouilloire à résistance qu'il remplit d'eau et brancha sur une prise de courant. Je m'assis sur le lit. Ses yeux mobiles et brillants passaient avec vivacité d'un objet à un autre. Le regard scrutateur d'un homme dont la femme m'avait entrepris il y a peu n'était pas sans me causer quelque malaise. Comme pour me rassurer, il me dit :

— Je vis seul ici, Rebecca a sa propre cabine trois portes plus loin : ce sont nos conventions.

Alors il commença la confession rapportée plus haut, l'interrompit pour servir un thé brûlant et fortement sucré. Après, la déglutition des premières gorgées, il continua ainsi :

J'attendis trois soirs de suite à l'arrêt du 96 du carrefour Odéon à la même heure. En vain. Ne me résignant pas, je résolus de quadriller le quartier avec toute l'ardeur d'un limier. Tout ce que j'avais eu avant ne comptait plus, seule comptait cette femme que je n'avais pas. Mon unique espoir était qu'elle travaille ou habite dans le périmètre de l'Odéon, où moi-même alors je résidais. J'avais tout mon temps, j'achevais des études de médecine en parasitologie et venais de passer mes derniers examens avec succès. J'écumai les boutiques, les cours de danse, de yoga, de poterie, les sorties d'écoles, de lycées, les cafés, les lieux les plus probables de la présence féminine. Deux semaines passèrent et j'avais presque renoncé. Entre-temps j'avais fait connaissance d'une coiffeuse du carrefour Buci, grande jument rousse décolorée qui ne me plaisait que médiocrement mais peuplait ma solitude, poire pour la soif qui assurerait l'intérim en attendant mieux. Parfois, le soir, je venais la chercher — elle restait jusqu'à la fermeture — mais je n'avais jamais aperçu ses collègues de travail.

Un jour que j'étais arrivé en avance et faisais les cent pas sur le trottoir, je crus voir sortir du salon la passagère de l'autobus. D'abord je me frottai les yeux, me croyant le jouet de mon imagination. Mais non, c'était bien elle ! Elle était heureuse de me revoir, me lança son nom, Rebecca, m'apprit qu'elle travaillait ici et me suggéra de l'appeler le lendemain. Vous comprendrez ma joie : j'avais cherché cette fille partout sauf là où je pouvais la trouver ; j'exultais et cachai difficilement à la rousse mon ravissement qu'elle prit pour une manifestation d'attachement à son endroit.

J'attendis avec anxiété le lever du soleil et, dès les premières heures de la matinée, appelai la tendre, l'adorable Rebecca. Quatre fois je téléphonai en vain : elle n'était pas arrivée, elle était sortie. Au cinquième appel, je la joins enfin et nous convenons d'un rendez-vous le soir à 8 heures. A 8 heures précises elle arrive, je suis en avance de 10 minutes déjà ; elle est aussi belle, émouvante que la première fois ; nous échangeons quelques banalités, je tente de ranimer l'incident de l'autobus, mon cœur bat la breloque, irons-nous au cinéma d'abord, au restaurant ensuite ? Quand soudain débarque, atterrit l'imposante roussâtre qui feint, sournoise, l'étonnement et demande l'autorisation de s'asseoir. Je comprends trop tard que je suis tombé dans un piège et qu'elles se sont entendues sur mon dos pour me punir de courir deux lièvres à la fois. D'abord je trébuche sous leurs moqueries, puis, acculé, tente une sortie. Je les devine secrètement rivales, se haïssant sous l'apparence d'une pseudo-complicité, et joue à fond de cette division, les montant sans relâche, par petites touches, l'une contre l'autre. Le stratagème réussit et, bientôt, de concert avec Rebecca tordue de rire, je fais front contre l'importune. Mais il faut sauver les apparences. Je les invite à dîner dans un restaurant américain des Halles ; je dois faire la conversation à chacune mais en catimini n'en appelle qu'une seule, me débattant avec l'atroce problème de me débarrasser de l'encombrante. Je multiplie les plaisanteries, me moquant en douce du grand cheval qui s'esclaffe par convenance à chaque trait que je lui décoche. Sentant la partie perdue, elle me gronde de proférer des bêtises mais je continue de plus belle pour la scandaliser, enchanté d'entendre son hennissement retentir, ses grandes dents s'entrechoquer, sa langue claquer comme un coup de fouet sur la croupe d'un percheron.

Minuit nous trouve déambulant dans les rues du Marais, sonnant aux portes cochères, jouant à cache-cache derrière les poubelles. Enfin l'exténuante génisse lasse de se cramponner manifeste le désir de se coucher ; je l'en applaudis mais redoute que Rebecca ne file aussi. Après les baisers d'usage, notre haridelle prend un taxi ; Rebecca traverse la rue pour en prendre un autre à contresens. Mais à peine notre cerbère a-t-il tourné le coin qu'elle retraverse en riant, m'attrape par le bras et me propose de continuer à marcher.

Ce fut l'une des plus belles nuits de ma vie. Tout de suite je sus que cette jeune fille compterait plus qu'une simple passade. Elle était si pleine de charme, d'enfance, d'esprit qu'on se demandait selon la formule consacrée comment on avait pu aimer avant elle. Toutes les antérieures semblaient des esquisses de celle-ci qui serait leur apothéose. A l'époque, je sortais d'un lien de deux ans qu'avaient guillotiné l'ennui et la routine. Je retrouvais la jouvence qui s'attache aux commencements. Sans la connaître j'aimais déjà chez Rebecca l'amour qu'elle allait m'inspirer. Pouvais-je me flatter de gagner le chemin de son cœur ? Dès l'abord, elle fut pour moi de ces êtres essentiels qui vous portent aux limites, quand les autres, nous le devinons, ne nous dépayseront jamais. Elle avait un air fou et caressant, prêt à tout pour me plaire, elle rayonnait avec une façon de s'abandonner en se mettant hors de mon atteinte qui me chavirait. Cette distance subtile, à laquelle je prêtais des desseins extravagants, avait le don de me captiver en m'inquiétant. Qu'importe, je la faisais rire, inventant des bons mots, célébrant l'opulence des faits les plus anodins, tirant de la banalité une faculté de renouvellement infinie. Les vraies rencontres nous jettent hors de nous-mêmes, nous mettent en état de transe, de création permanente. Je l'amusais et l'étonnais puisque je m'amusais et m'étonnais moi-même.

La soirée ne fut que roucoulements, galanteries, embrassades, génuflexions, sucreries, voluptés insignifiantes. J'appris de Rebecca qu'elle avait dix-huit ans, dix de moins que moi. Juive arabe, originaire d'Afrique du Nord, elle venait d'un milieu modeste — son père tenait commerce d'épices à Belleville —, quand moi-même, d'ascendance germanique lointaine, étais issu d'une famille de moyenne bourgeoisie. Vous verrez en temps voulu, si vous me faites l'honneur de m'écouter jusque-là, l'importance de ces détails. Rebecca avait pour toute expérience les quelques dizaines d'hommes qu'elle avait pris pour amants — sa vie amoureuse avait commencé à l'âge où j'abandonnais mes derniers animaux en peluche —, deux ou trois séjours au Moyen-Orient et en Israël, et cet alliage déconcertant de maturité sexuelle et d'idéalisme enfantin qui constitue le bagage métaphysique des adolescentes d'aujourd'hui. Elle se vantait de ses conquêtes avec une provocation naïve qui tenait autant du défi que de l'excuse comme pour me dire : pardonne-moi, je ne te connaissais pas encore.

D'emblée notre liaison se plaça sous des auspices bouffons ; l'humour est la jouissance que les deux sexes s'accordent en convenant d'oublier un instant ce qui les sépare. Elle goûtait autant que moi les lapsus infantiles, les phrases étirées, les anagrammes, les calembours, les contrepèteries salaces, elle connaissait toutes les comptines, les chansons des enfants, savait imiter la plupart des personnages de bandes dessinées, notamment Titi et Gros Minet qu'elle rendait à la perfection. Je m'émerveillais de la fraîcheur gamine qu'elle mettait dans ses propos, et trouvais en elle une diversité généreuse, une ardeur pour la vie qui m'émouvait au plus profond. Rien ne me restait, pas même l'expérience que mon âge supérieur au sien m'avait permis d'acquérir. Et quoique deux mois plus tôt je dise encore « je t'aime » à une autre femme qui m'avait inspiré des sentiments identiques, il me semblait que j'étais resté des années sans aimer. J'avais trouvé un être qui par touches successives répondait à mon attente en la débordant et dont les affinités, les différences faisaient d'elle simultanément une partie de moi-même et une partie extérieure. Je vous ai dit qu'à mes yeux Rebecca était belle ; moins par l'harmonie que par la pureté de ses traits qui auréolait son visage d'une dimension de présence éclatante.

L'aube de cette première nuit nous retrouva assis sur un banc du square de l'Archevêché, derrière Notre-Dame, en compagnie des nombreux homosexuels qui viennent y rendre un culte à Sodome depuis des années. J'aimais la proximité de ces corps industrieux derrière ce temple de la

30

foi; ils donnaient à nos amours un petit parfum de clandestinité si rare aujourd'hui. Une liaison qui débute ainsi près de ces êtres en marge, dans un décor de spasmes frissonnants, ne pouvait être que marginale et romanesque. L'ombre encore chaude semblait pleine de baisers. Tous ces gens accouplés répandaient autour d'eux une fièvre animée de la même ardeur.

Spectacle charmant que Paris vu depuis ce jardin aux premières lueurs d'un jour d'été. Le soleil était au moment de paraître : une lumière très blanche faisait saillir vivement à l'œil tous les plans des berges de Seine, couvertes en cet endroit d'un manteau de vigne vierge. La ville commençait à remuer, bruissait déjà du grondement des premiers métros. C'est alors que Rebecca me demanda, je m'en souviens, de lui réchauffer les pieds; de la jambe, je remontais jusqu'à la bouche, selon cette bienséance qui demande d'honorer le haut pour avoir la clef du bas. Mais nous riions tellement que nos dents d'abord, nos nez ensuite se heurtèrent longtemps avant que notre premier baiser ne connaisse sa forme adulte et canonique.

— Écoute, lui dis-je après que nos bouches se furent décollées, je dois aller voir un médecin. Il m'arrive une chose étrange.

Et lui prenant la main, je lui fis toucher l'érection que notre contact avait provoquée en moi. La petite bosse la flatta mais ne provoqua pas chez elle d'émoi particulier. En fait, nous n'étions guère pressés de conclure. Nous n'avions pas besoin des grossières preuves charnelles que brûlent de se donner un homme et une femme dès qu'ils entrent en accointance. A côté du feu d'artifice qui l'avait précédé, l'acte amoureux, ce soir-là, nous semblait superflu ou du moins sans urgence. Nous planions dans une séduction étourdie qui se grisait d'elle-même, s'étonnait de ses prouesses, se moquait d'un résultat. Et puis, vous l'avouerai-je, Rebecca faisait partie de ces êtres si beaux qu'on ne les imagine pas sexués comme les autres. Si loin de l'espèce humaine courante dans la silhouette et les traits, je la supposais également différente dans son intimité. Mon esprit enflammé lui prêtait quelque organe inouï, une incongruité merveilleuse aussi déroutante que son beau visage. Et si, me disais-je, elle n'avait pas de sexe au bas du ventre ? La nature a dû forger pour elle une solution nouvelle !

Et ce n'est qu'au matin vers 8 heures après une nuit d'errance qu'elle entra chez moi. Vous savez qu'en se dévêtant, hommes et femmes perdent souvent la grâce dont ils ont fait preuve habillés : la nudité est un vêtement mal coupé où ils flottent avec embarras. Rebecca échappait à cette corruption. Vêtue, elle avait déjà l'air nue tant ses formes saillaient avec une exubérante affirmation, tandis que nue son indécence la protégeait, tel un muscle parfaitement lisse ; elle se contentait d'échanger un artifice pour un autre, jouant de sa peau comme d'une draperie, d'une parure dans laquelle elle s'enroulait. Elle réhabilitait l'ostentation, entretenait grand train autour de ses charmes, rehaussant la couleur du moindre chiffon dont elle s'affublait, et sa prestance m'intimida si longtemps que je fus plusieurs jours sans bien la voir ni la connaître.

Il fallut donc quelque temps avant que nos rapports charnels soient à la hauteur de cette vie tumultueuse et variée que nous connaissions ensemble. Tout de suite j'avais aimé ce corps opulent qui ne culminait pas à la ceinture mais éclatait en merveilles distinctes comme autant de centres d'attraction. De la coiffure aux orteils, elle gardait l'ondulation précise des volumes qui gonflaient ses seins érigés : les deux colonnes de ses jambes s'arrachaient du sol d'un seul jet, ouvrant sur un dos qui n'en finissait pas de se déployer jusqu'à la masse du crâne, fine et menue. Je vénérais surtout son abondance à l'époque de ses mues : alors ses formes enflaient, elle rougissait de cette exubérance ; ses seins se mettaient à vivre de leur vie propre, prenaient un aspect animal, frémissant, se couvraient de veinules qui les bleuissaient comme des vagues. Ils dressaient leurs grandes corolles brunes au milieu de son torse, pareils à des campements de nomades, et cette poitrine majuscule, hyperbolique sur un corps d'adolescente me jetait dans l'extase : deux âges se rejoignaient en elle, j'embrassais une enfant sur la bouche, une femme sur les tétons, la mère et la fille confluaient en une seule personne. Et je la respirais comme un luxueux magasin de soie qui exhalait des parfums riches et capiteux jusqu'à la transpiration qui liquéfiait ses aisselles, humeur âcre et salée dont je raffolais au point de m'endormir souvent dans ce buisson ardent.

Elle possédait d'autres trésors plus intimes mais tout aussi surprenants. Par exemple, si je la regardais d'un œil distrait, je lui trouvais, pardonnez le détail, la fente discrète, timide comme si elle avait voulu en cacher l'impudeur en la dissimulant dans les replis du ventre. Mais dès les premières caresses, ce petit animal s'étirait, écartait le berceau d'herbes où il dormait, redressait la tête, devenait une fleur gourmande, une bouche de bébé glouton qui tétait mon doigt. J'adorais taquiner de ma langue le museau du clitoris, l'exciter puis l'abandonner humide et luisant à son irritation, petit canard barbotant dans une vague de chair rose. J'aimais lisser mes joues contre la lingerie précieuse de son ventre, plonger le nez dans ses bourrelets onctueux, parfois tendus, parfois relâchés comme des focs par le vent, friper du doigt cette immense draperie habitée de frissons et de soupirs. D'autres fois j'aurais voulu m'asseoir, les jambes ballantes au bord de cet orifice et observer minute par minute l'évolution de ce madrépore géant, enregistrer chaque palpitation, chaque respiration de ses pétales inondés d'un nectar irrésistible.

Une aversion naturelle pour les confidences égrillardes fit que je ne pus réprimer un haut-le-cœur dont Franz s'aperçut.

— Ne soyez pas bégueule, je n'insiste sur ces détails charmants — mais peut-être n'avez-vous jamais assez aimé pour aller jusqu'aux détails —, je n'insiste que pour vous indiquer combien alors j'acceptais Rebecca par une élection massive et indivise.

Je la trouvais tout simplement adorable, aussi naïve que puisse vous sembler cette profession de foi. Cet enthousiasme qui devait plus tard me conduire à certains excès n'en restait pour l'instant qu'au stade d'une gentille exaltation et ne me poussait qu'aux hommages tendres et enflammés que se rendent chaque jour tous les amants du monde. Très vite Rebecca joua à son profit de cette fascination comprenant qu'il y avait en moi un penchant à l'idolâtrie qui ne demandait qu'à être cultivé. J'avais dix ans de plus qu'elle mais cherchais un maître qui pût me subjuguer.

Dans nos sociétés, la nudité de la femme est la mesure de toutes choses : la récompense et le rêve de chacun de la naissance à la mort. J'ai exalté pour vous la silhouette de Rebecca, loué ses proportions admirables, son ventre chavirant, mais je n'ai rien dit encore de ce qui vraiment m'époustouflait en elle : ses fesses, les plus jolies qu'il m'ait jamais été donné de voir. C'était un bloc dur, un joyau parfaitement clos auprès duquel je plaidais ma cause avec des succès variés, un derrière rond, potelé, fort gras qui jaillissait avec l'entrain d'une bombe sans que cet embonpoint ne gâtât en rien son charme. Je voudrais avoir l'éloquence d'un poète pour rendre ce duplicata de prodiges, cette couette sublime posée sur le milieu du corps, et dessinant une rainure si profonde qu'on aurait pu y glisser une lettre. Je n'avais rien vu d'aussi vivant, d'aussi expressif. Ces deux édredons d'amour m'offraient le contraste énigmatique de leur énormité percée par un minuscule puits de santal : comme si le petit était la substance du grand. L'axe des cuisses, le haut des jambes, la saillie de la croupe constituaient un ensemble surprenant, un pur morceau de

34

lignes dont ma maîtresse était outrageusement fière et qu'elle ne manquait pas une occasion de mettre en valeur, d'afficher, de dénuder même en public pour ne priver personne de ce ravissant spectacle. J'ai de trop belles fesses, disait-elle, pour m'asseoir dessus, elles méritent qu'on les exhibe dans un musée sur le faîte d'une colonne.

Je trouvais dans ces deux sphères une bonhomie souriante qui m'attendrissait. Le moindre froncement de ce ballon fendu m'était sujet d'admiration : en le voyant on ne pouvait que s'extasier, l'embrasser, s'extasier encore, le chatouiller, le manger. Mieux versé dans la science du tricot, j'aurais pour ce renflement prometteur tressé des layettes, des baverolles, des brassières de dentelle, des petits couvre-peau en satin et en soie, je l'aurais emmailloté de rubans et de broderies tel un poupon royal, taillant un patron différent pour chaque hémisphère, réservant un liséré d'or et d'argent pour le sillon du milieu. Aucun de mes baisers ne constituait un hommage suffisant à la blancheur émouvante de cette peau. L'harmonie entre ces fragments et le reste m'étonnait plus que tout : ce corps était une somme de petites splendeurs, et l'on s'émerveillait de retrouver dans l'ensemble l'achèvement de chaque détail. Je méditais en philosophe sur ces deux globes, les yeux perdus dans leurs courbes : combien de millions d'années avait-il fallu à l'espèce avant d'arriver à cette perfection dans le galbe et les proportions ?

Les fesses de ma maîtresse avaient ceci de singulier qu'elles ne fondaient ni ne se déformaient : qu'elle les laisse dans un lit ou sur un siège, elle les retrouvait comme avant, consistantes, drues, friponnes ; deux vraies petites bourgeoises confortables, folâtres et joufflues, malicieuses demoiselles de compagnie, déesses bienveillantes et dodues, sentinelles du sanctuaire, précieux rembourrage, Sésame d'une caverne d'Ali Baba aux quarante odeurs ; douces et tendres garçonnes, hautes gloires, basses abondances répondant à leurs jumelles du devant, belles

35

coques, belles proues, belles conques, carrosseries indéformables l'une à droite, l'autre à gauche sans jamais d'interversion, fruits toujours frais, consommables été comme hiver car la perfection va toujours par deux. Mais surtout il émanait de ce derrière une espèce de bonne humeur, une aménité pour les êtres et les choses qui invitait à des ententes idylliques. C'étaient deux gros angelots en train de rire aux éclats et qui vous moquaient, vous provoquaient : les peuples les plus ennemis se fussent aisément réconciliés sous leurs auspices souriants, car elles rendaient la justice avec autant d'équité que la nature les avait placées de part et d'autre du fossé médian. Et quand le visage se renfrognait, je me tournais vers le fondement, sûr d'y recevoir amitié et réconfort. Si j'avais faim ou soif, souffrais d'un chagrin, d'une douleur, il me suffisait d'évoquer leur chaleur lumineuse, de me blottir dans leur giron pour me sentir rétabli. D'ailleurs je passai un accord secret avec un boulanger de mon quartier pour qu'il me cuise des pains selon le moule en plâtre du postérieur de Rebecca que je lui donnai, et chaque jour nous mangions le popotin de ma mie en croûte, en son, en seigle, en brioche et même le dimanche en croissant.

Les fesses sont une image du paradis, un symbole de richesse, une Cocagne vivante : d'où l'attrait qu'elles exercent sur les croyants et les pauvres. N'ayant rien en moi de ces rondeurs adorables, je m'inclinais devant celles de Rebecca comme le centre de ma vie. Elles étaient le soleil, la source à laquelle je m'éclairais. Sur cet autel affable, je sacrifiais plus que de raison, ne cessant de le baptiser de tous les noms, l'appelant le Bon Pasteur, l'Empire du Milieu, les Sphères Célestes, les Ingénues, les Fantasques, les Sculpturales, les Commères d'Amour, les Météores, le Sillon Fertile, les Ballons de Soie, la Poire à Parfums, et encore Laurel et Hardy, les Marx Sisters, Tom et Jerry, Bonny and Clyde et même 39/40 parce qu'elles faisaient monter ma fièvre et que pareilles aux deux blocs de la dernière guerre, elles me mettaient en état de révolution. Rebecca m'avait d'ailleurs octroyé le titre bucolique de berger de l'anus, de pâtre du clitoris, de gardien de sa Jérusalem céleste. Ainsi caressant cet arrière-train sidérant, récitais-je ma prière du soir et du matin, avec l'ardeur d'un fanatique, et de son imposante majesté, je fis un dieu dont je m'instituai le dévot. Et je n'imaginais plus de vivre loin de ses épaisses murailles, sans être réchauffé à chaque instant par leur rayonnement diffus.

Face à mon aimée j'étais donc d'une modestie maladive, je me considérais comme un sexe disgracieux. « Je plains les hommes, disait Rebecca, ils sont vierges de ces malheurs enivrants : la maternité et la jouissance. Je ne vois pas comment ils peuvent rattraper ce handicap. » Qu'est-ce qu'un orgasme ? Une manière parmi d'autres dont notre corps répond à des émotions extrêmes. Il faut croire que le corps masculin n'est guère impressionnable car mes orgasmes étaient d'invariables et pauvres secousses dont l'amplitude variait à peine d'une fois à l'autre. J'avais honte de ma pitance morose face à sa quête orgiaque et je passais sous silence mon désir si vite rassasié parce qu'il était le moment de la séparation des corps, de la solitude retrouvée. Je méprisais ces fleurs blanches que j'expédiais dans son ventre, misérable bouquet, qui, en m'offrant le plaisir, me privait de son objet. C'était la joie de Rebecca que je m'efforçais d'honorer, serviteur de la volupté de l'amante contraint d'en imiter le faste, d'en plagier l'abandon, faute de le ressentir vraiment. Hélas, pauvre laboureur de ses terres roses et fertiles, je ne me haussais jamais au niveau de son délire. Rebecca était comme on dit une nature généreuse et riche, un arbre chargé de trop de fruits, ployant sous le poids de ses envies. Bien sûr, c'est nous qui prêtons une telle valeur à la jouissance des femmes, y transposons notre inquiétude ou nos faiblesses car cette jouissance tire une partie de son infini pouvoir de son invisibilité. Il n'empêche : Rebecca ne falsifiait pas, ne me laissait rien ignorer de ses émois, les criant jusqu'à me déchirer le tympan au moment de la délivrance. Musicalement, son érotisme était la plus subtile parure inventée pour me séduire, une manœuvre charlatane qui m'asservissait par la monodie continuelle de sa voix. Je ne pouvais me soustraire à ces harmonies plaintives, c'étaient de longues aubades qui allaient de l'introït au kyrie, des volées de roucoulades, des vocalises s'entremêlant à des souffles plus rauques, une broderie de sonorités affolantes comme pour une grand-messe. Cette cantatrice de l'amour paroxystique avait dans la gorge une gamme pour chaque sensation. J'étreignais une voix autant qu'un corps, une foire de sons qui m'apeurait et m'excitait, et dont la fanfare impudique donnait le sentiment d'être sur une scène dont l'immeuble, les voisins et moi-même auraient constitué le public. Elle dramatisait nos moindres embrassements avec une tendresse théâtrale qui semblait jouée autant que vécue. Elle avait besoin, pour aimer, d'excès et d'outrance, et se montrait plus authentique dans l'artifice que dans une sincérité de commande qui eût fait retomber l'affection comme un soufflé. Quant à ses yeux, aux heures d'amour, ils tournaient au vert comme si un soleil intérieur explosait en elle et déteignait sur ses pupilles ; la crise passée, ses paupières lourdes battaient lentement, découvrant un peu plus ce regard ardent, hagard qui m'affolait.

Bref, de ne pas connaître la nuit éblouissante qui tombe sur les femmes pendant l'étreinte me faisait mourir de honte. Mais tandis qu'à ce sentiment déjà éprouvé avec d'autres, je m'étais résigné volontiers, j'avais décidé avec Rebecca d'y faire face d'une manière inédite. Je ne voulais plus consentir à la simplicité du désir masculin et me promettais d'y introduire quelque rouage de nature à le compliquer. Tel un catéchumène qui se pénètre d'un dogme, je me répétais : ce corps est parfait, aucune extravagance ne sera assez grande pour lui rendre hommage, il mérite que je me détruise pour lui par quelque émouvante folie dont j'avais *le désir farouche et religieux. Avec elle je me sentais à l'aube d'une existence nerveuse et poignante.*

Oh! la fraternisation merveilleuse des débuts quand chaque mot, chaque geste coule de source comme une création continue! Une grande, une ardente passion était en train de naître de mes recherches et de mes déceptions successives. Je le croyais alors, rien n'était possible entre nous que de noble, elle déchirerait mes défauts, esquiverait les griffes que j'avais sorties dans mes liaisons précédentes. Cette femme me portait plus haut que je n'en avais jamais eu l'habitude. Je m'attache surtout aux êtres qui n'ont pas besoin de moi et que j'enchaîne soudain par le plus fort des liens. Je suis prêt à tout donner à qui ne demande rien, mais ne veux rien céder à qui attend tout de l'autre. Je m'étais épris de Rebecca parce qu'elle avait accueilli notre liaison comme un surcroît de bonheur dans une existence sereine et non comme la planche de salut d'une solitude désemparée.

La féerie de la première fois dura un mois entier. Nous rentrions vers trois quatre heures du matin, fumions une pipe de haschisch ou sniffions une ligne de poudre quand nos moyens nous permettaient d'en acheter, puis repartions sans avoir dormi avant que les arbres aient secoué toute leur nuit. Nos marches recoupaient au hasard les itinéraires de tout un peuple aventureux qui s'égaillait dans les rues à la faveur des ténèbres. Souvent, nous escaladions les grilles des jardins publics — surtout celles du parc Montsouris à cette époque arrachées en plusieurs points — et nous allongions sur les belles pelouses rasées de près, enveloppés dans la chaude nuit de juillet, éclaboussante d'étoiles. Dans un cadre de roman-feuilleton ou de comédie policière, nous nous offrions ce cadeau princier : le diamant noir de Paris, l'immensité de son théâtre frissonnant. Nous goûtions cette complicité qui est celle des petits matins, des fatigues extrêmes, des situations périlleuses, ce tressaillement de n'être que deux contre tous, contre l'habi-

ude immémoriale qui découpe la vie en une tranche diurne et une tranche nocturne : ainsi participions-nous de deux mondes distincts, et les amants qui se quittaient le matin n'étaient pas ceux qui s'étaient retrouvés la veille. Toutes les aubes, tous les levers de lumière quand la ville s'ébroue et chasse les dernières traces de sommeil, nous les avons connus. L'air était pur et vif comme un verre d'eau et nous imprégnait d'une rosée qui nous grisait de sève. Je garde de cette époque le souvenir d'une extraordinaire énergie, et les divers excitants dont nous usions pour nous maintenir n'étaient rien à côté du dynamisme qui nous poussait chaque jour à inventer notre relation. Notre vraie drogue était la nouveauté. Déjà nous développions un mépris commun pour la tradition et vivions notre rencontre comme une griserie que n'entamait encore aucune grisaille.

Vers la mi-août, Rebecca partit en vacances au Maroc. J'avais commencé à travailler dans un hôpital et ne prenais mes congés qu'en septembre. Chacun ignorait ce que l'autre éprouvait pour lui, pas une fois le « je t'aime » n'avait été formulé. Le prononcer eût été enclore cette union nullement préméditée dans une variété de sentiments trop communs pour l'état qui nous tenait sous son charme. Ce fut donc sur un aveu caché que nous nous quittâmes un soir de pluie devant une station de taxi. J'eus tout de même le courage de lui demander un gage d'amitié. Alors, sans hésiter, elle remonta sa jupe en pleine rue et habilement se débarrassa de sa petite culotte qu'elle me glissa dans la main. « Garde-la jusqu'à mon retour », furent ses dernières paroles. J'étais malheureux, accablé. La séparation est une anticipation de la rupture puisqu'elle nous apprivoise à l'idée qu'on peut vivre sans l'autre.

Le miracle avait cessé du jour au lendemain. Je ne savais plus que faire de mes longues nuits vacantes et me portais volontaire presque chaque soir pour assurer la garde aux urgences. Dans mon imagination morose, je peuplais le temps mort de ma vie de célibataire du temps plein et

*intense de la vie de Rebecca. Tant d'heures perdues pour
moi à des tâches monotones ne pouvaient être qu'infini-
ment riches pour elle. Je l'eus une fois au téléphone : elle
paraissait, comme dit l'expression, bien s'amuser. Je mimai
moi aussi le bonheur, victime de cette cruelle désinvolture
qui fait obligation aux amants modernes de considérer la
souffrance comme une disgrâce, et la jalousie comme un
manque d'éducation. J'avais du mal à admettre que l'absence se traduise chez les êtres par des symptômes différents et demandais une même et visible douleur pour tous.
J'aurais voulu savoir Rebecca dramatiquement désespérée
de notre séparation, se torturant de chagrin. Était-il possible que je ne lui manque que par intermittence ? Après
tout ce que nous avions vécu ? Un horrible soupçon me
venait : et si elle vivait toujours sur ce rythme ? Si j'avais
ressenti comme exception ce qui n'était à ses yeux que
banalité. Oiseau de nuit, Rebecca avait ébloui le petit
médecin laborieux et couche-tôt que j'étais. Aucun doute :
il y avait eu maldonne et j'étais le seul à souffrir. Cette
perspective m'horrifiait : je maudissais le couple qui, bien
avant de vous donner la sécurité, resserre la vie autour
d'un seul être, et vous rend dépendant de ses moindres
caprices. Aimer c'est donner à l'autre de mon propre consentement un pouvoir infini sur moi. Comment avais-je pu
contribuer à ma propre servitude ?*

*Je m'appliquais à l'oublier : je n'en n'étais que plus
inquiet. De l'être qui nous est le plus cher, nous redoutons
le plus. Et la jalousie n'est qu'une forme de l'imagination
terrorisée qui transforme en certitude le moindre soupçon.
Toutes ces plaies m'apprenaient le sentiment, savoir dont
je me serais bien passé. Si les amants pouvaient s'avouer,
une fois leur liaison finie, combien ils ont souffert l'un par
l'autre de l'incertitude où les a tenus leur commune passion, les insomnies, les minutes douloureuses passées à
s'interroger sur l'énigme de l'autre ! Hélas quand ils le font,
cet aveu n'a plus de poids, ils ne s'aiment plus, trop con-*

tents d'être débarrassés d'une affection qui les harcelait. L'été passa donc. Je partis comme elle au Maroc mais un mois plus tard sans l'avoir revue. Et de visiter cette terre qu'elle venait de quitter me donna l'impression désagréable d'enquêter sur sa conduite. Un couple rencontré par hasard et qui l'avait connue accentua cette impression pénible et les semi-allusions qu'ils lâchèrent à son sujet ne firent qu'ajouter à mon trouble. J'eus quelques aventures : il me fallait ce rempart de noms et de corps pour me prémunir de Rebecca, et le moment venu, pouvoir l'échanger contre ses propres passades. Car les amants, pareils aux nations, prennent des otages qu'ils négocient, par crainte de se retrouver nus l'un face à l'autre. Ces brèves rencontres apaisèrent mes inquiétudes et me permirent de tenir jusqu'à nos retrouvailles.

Elles se passèrent mieux que je ne pensais. Rebecca ne m'avait pas oublié, et malgré quelques infidélités sur lesquelles elle insista à mon goût avec un peu trop de complaisance, je tenais toujours dans son cœur une place prépondérante. La blessure de ce premier déchirement se referma sans peine et je profitai de ce retour pour me désaltérer sans mesure de cette femme qui m'avait tellement encombré de son absence. Au moindre prétexte, je la serrais contre moi, sa taille, sa chair me saisissaient comme un ordre. Je la trouvais belle, charmante, impénétrable et le lui avouai. Je vous l'ai dit : j'avais déjà aimé, déjà éprouvé l'échec de toute relation amoureuse; marié pendant deux ans, j'avais même un enfant âgé de neuf ans au début de cette histoire et qui, vivant chez sa mère, me rendait visite une ou deux fois par semaine. L'amour c'est évidemment deux solitudes qui s'accouplent pour créer un malentendu. Y a-t-il pourtant malentendu plus séduisant ? Et la vraie sagesse ne réside-t-elle pas en une capacité incessante de retomber amoureux? Le début d'une liaison imprime son style à tout ce qui va suivre : instant magique sur lequel la parole des amants reviendra inlassablement pour raconter jusqu'à l'usure la douceur des premiers jours. En somme, le premier contact est du côté de l'espérance, il renfloue le rêve insensé d'un amour authentique, définitif. C'est pourquoi il est des rencontres *too* belles qui tuent le sentiment, des rencontres banales *av* préjugent de la bassesse des relations *d'autres enfin* porteuses d'exigences auxquelles les *amants ne* peuvent se soustraire sans déchoir.

Nous reprîmes notre vie; mais l'hiver *qui* arrivait, les premières pluies rendaient difficiles nos expéditions nocturnes. Nous nous enfermâmes donc chez moi (Rebecca vivait chez ses parents) pour connaître alors ce bonheur typique du couple qui est celui de la répétition enjouée, des affections récurrentes, des soucis ajournés, un bonheur de confitures en pot et de feux de bois où l'on se calfeutre contre les rafales du dehors. Banalité que nous goûtions avec d'autant plus d'innocence qu'étant neufs l'un pour l'autre nous la vivions comme un écart. Nous étions assez riches, inventifs pour nous permettre un peu de conjungo, choisir la médiocrité au lieu de la subir. Le simple fait d'ouvrir la télévision, de mitonner de petits plats nous était un luxe. Une saison froide et un sentiment en expansion se coalisaient pour nous agglutiner l'un à l'autre. Tout un temps de paresse et de langueur se déployait dans notre côte à côte. L'existence commune sécrétait confiance et tranquillité. Moments uniques qui ne se racontent pas : car le bonheur a une histoire qui n'est pas l'histoire ordinaire; il est la confusion de la mémoire avec l'oubli : souvenirs d'épisodes si denses qu'ils sont gommés par leur perfection même, figés dans un flou éternel.

Très vite, la chaude, la souple, l'opulente Rebecca devint la somme de toutes celles qui l'avaient précédée dans mon cœur. Elle était pour moi une source intarissable de réflexions et d'enthousiasme. Une couronne de lumière la suivait partout, cercle enchanté où j'allais me brûler les ailes tel un papillon médusé par la lampe qui va le calciner.

J'appris à la connaître mieux et l'ouvrais tel un beau fruit dans toutes les dimensions de ses appartenances. S'il y avait entre nous le plus grand fossé culturel possible — fossé de classe et de confession —, j'étais loin de m'en désoler. Je ne conçois pas l'amour autrement que comme une mésalliance et trouve sinistre d'aimer dans son milieu et sa religion d'origine. Au lieu de hiérarchiser les classes et les cultures, pourquoi ne pas les voir comme des blocs de différence pure qui s'attirent et se repoussent. J'aimais en Rebecca l'écart qui nous séparait et la passerelle que nous lancions pour franchir cet écart. Parce qu'enfant d'épicier et coiffeuse, elle était dotée pour moi de cette qualité aristocratique par excellence, qu'aucune donzelle enrichie ou cultivée ne pouvait atteindre : l'étrangeté. Et elle me disait sur le mode métaphorique de la littérature andalouse : « Je suis toute la poésie des fruits et légumes, je suis la fille du Fauchon de Belleville, princesse d'Harissa, reine du Coriandre et déesse de Cardamome, j'ai la fraîcheur des tomates, la verdeur d'une laitue, l'acidité du poivre, ma peau a la douceur et l'arôme d'un raisin de muscat, ma salive est un miel dont les abeilles sont jalouses, mon ventre une plage de sable fin et mon sexe un loukoum succulent qui pleure des larmes de sucre. » O ma tendre, ma chérie avouant avec honte sa profession à tous ces bourgeois de gauche que je fréquentais et qui se pinçaient le nez quand elle leur glissait à l'oreille le métier de son père. « Franz s'encanaille, soupiraient-ils, il a toujours eu une telle prédilection pour les coiffeuses et les vendeuses. » Permettez-moi de préciser   mes amis et moi, tous anciens militants reconvertis dans les professions libérales, appartenions à cette gauche cachemir qui habite le centre de Paris et méprise autant le peuple que la droite le craint. Nous étions ces fils de famille en jeans, rompus au marxisme mais que la compagnie d'un ouvrier indisposait et qui ne toléraient les travailleurs immigrés qu'à leur place, à savoir dans le caniveau et les poubelles. Nous for-

mions donc cette confrérie, si prospère, si influente aujour-
d'hui, des staliniens disco : ex-militants qui ont déplacé
leur sectarisme sur les sujets les plus futiles et mettent à
discuter chiffons, boîtes de nuit ou coupes de cheveux, la
même intransigeance qu'autrefois pour analyser une ligne
politique. De notre bref engouement pour la révolution,
nous n'avions gardé que le goût de condamner et de tran-
cher, le désir tenace d'avoir barre sur nos interlocuteurs et
de leur clouer le bec. Nous étions d'autant plus tranchants
que nous nous savions frivoles, avides de réparer, par le
dogmatisme, notre péché de légèreté. Des années de propagande socialiste aboutissaient, dans notre narcissisme
délirant, à cette compulsion maniaque de puissance et
d'autorité. Et moi je poussais Rebecca à taire ses origines
familiales, à ne pas ébruiter son métier, encourageant sa
contrebande, pris entre deux feux et trop lâche pour trahir
ceux de ma caste : d'autant qu'on était dans ces années
où le dédain des plaisirs populaires et des majorités silen-
cieuses était devenu le thème central de la gauche officielle.
Pourtant j'aimais sa profession, j'aimais le clinquant, le
brillant du salon qui l'employait, les uniformes blancs, les
casques oblongs des séchoirs, l'éclairage excessif qui
donnait à l'ensemble l'allure d'un vaisseau spatial; et par
un goût de la frivolité que mes études de médecine n'avaient
pas satisfait, j'avais la nostalgie des fastes de la mode et du
prêt-à-porter et rôdais avec Rebecca dans les magasins de
femmes, les boutiques spécialisées, palpant les tissus les
plus éclatants, comparant les coupes, avec la fièvre d'un
novice au seuil de l'initiation.

   Et puis ma maîtresse me faisait rire et en quelques mois
notre affection devint une machine à fabriquer des jeux de
mots, locutions cocasses, pitreries dont nous faisions
notre pâture comme si nous étions coalisés pour défier
la grammaire et le parler adulte. L'ampleur de nos sentiments, l'envie de les épancher en un cri qui n'emprunte
pas au langage courant nous poussaient à inventer un

jargon d'onomatopées et d'intonations gamines, bouillie gazouillante qui nous était plus précieuse que nos étreintes puisqu'elle nous permettait d'intervertir les sexes, d'annuler les rôles de l'homme et de la femme. S'aimer c'est remettre sans cesse le dictionnaire à jour au nom d'une même liberté d'être ensemble pour être bêtes en toute innocence. Nous n'étions pas difficiles, riant d'un rien, de petits mots chargés de plus de prestige et de tendresse que de sens : par exemple, il y avait longtemps que le nom de Rebecca avait disparu sous tous les surnoms que je lui prodiguais sans arrêt : Doudounette, Biquette, Ninouchinounette, Chouchoute, Bouloute, Poupounette, Pitchoune, Choupette, Cabarette (l'anagramme de son nom), toute une galerie de sobriquets ridicules qui constituaient autant de noyaux denses d'intimité. Nous ne sentions pas le ridicule, seulement les diminutifs. Ou encore nous avions baptisé nos travers respectifs de mots arabes : Rebecca c'était mademoiselle Inch'Allah à cause de sa soumission à la fatalité, madame Kif-Kif parce qu'elle répondait toujours « ça m'est égal » et refusait de décider. Moi qui étais toujours pressé, j'étais monsieur Fissa et aussi monsieur Chouff parce que j'accrochais mes yeux à chaque silhouette qui passait. Nous parlions bébé, et plus l'intonation des voix était infantile, les phrases étirées, les syllabes interverties, les mots sucés comme des bonbons, plus nous approchions de la félicité. Oui, ces mignardises constituaient notre armure imprenable, l'univers féerique où tout est absous parce qu'on s'y retrouve ensemble frère et sœur siamois. Et nous réactivions nos fadaises comme on souffle sur des braises, marmots roucoulant des âneries, se recréant, par de simples babillages, un paradis d'enfance où nul n'avait accès.

De ma petite sœur puérilement incestueuse, j'aimais tout, voulais tout connaître, et entre ses mains, il me semblait que le vrai luxe de l'amour était de vivre avec une personne dont même les malentendus et les faux pas seraient capables de me réjouir par leur qualité. Comment ne pas adorer les peuples, les continents qui résonnaient en elle et jusqu'à ses amants qui avaient gardé un peu de sa lumière? Aimant Rebecca, je me convertissais à une religion nouvelle. Elle était, je vous l'ai dit, juive arabe d'origine tunisienne. Je me glorifiais de l'alliance éblouissante de sa beauté et de sa communauté, et ne pouvais plus l'entourer qu'en me mêlant à tout ce qui l'occupait, par une dévotion ardente à l'intelligence de son peuple. J'avais d'abord aimé Rebecca parce qu'elle n'était ni française, ni blonde, ni catholique, ni parpaillote, ne puait pas l'eau bénite dont on m'avait aspergé de ma naissance à ma seizième année, et surtout n'était pas de ces asperges blondes et fadasses, de ces Gretchen, de ces Walkiries diaphanes, ces tendrons de paille sèche, qui, enfant, m'aveuglaient de leur pâleur de blé délavé. J'étouffais sous le blond nordique, le bleu aryen, les peaux blafardes que j'assimilais naïvement à un manque de tempérament, je voulais des tonalités chaudes et foncées, des teints mats, j'aspirais au métissage après l'infâme pureté germanique de la famille. Et j'eus tout de suite envers mon amie l'attrait d'un homme du Nord pour les mirages du Sud. Près d'elle, au moins, je ne sentais pas rôder la charogne christique vautrée sur sa potence, la piétaille ensoutanée, la crapule jésuitique et romaine qui m'avait éduqué. Et puis je me sentais trop à l'étroit en France, coincé entre une absence d'histoire et le manque de projet, pénalisé par l'apathie d'un peuple trop vieux et la médiocrité d'une politique sans grandeur. Comme ces paysages de la Renaissance, qui, regardés sous un certain angle, révèlent une tête humaine, contemplant le visage de Rebecca, je voyais à l'inverse apparaître une société entière, une succession de tableaux méditerranéens, tout un mirage de sable et de soleil. Son judaïsme me fascinait : elle n'avait que dix-huit ans mais cinq mille ans d'histoire derrière elle : sous les espèces finies d'un être et d'un corps, j'étais sollicité d'intégrer une mémoire infinie. Et si j'avais déjà eu plusieurs uniques avant celle-là, cette unique serait la dernière car elle était plusieurs. Laissez-moi effeuiller un instant l'insipide album de famille : à l'origine de mon philosémitisme, je ne dois pas sous-estimer le plaisir de rompre avec une tradition : à la maison, le Juif était le bouc émissaire, la cible constante du ressentiment parental ; pas un repas, une réunion où je n'entende de bouche paternelle ou maternelle des imprécations vomies contre « les youtres, les assassins du Christ, les apatrides de Sion, les ploutocrates, les judéo-bolcheviques, l'internationale sioniste, le lobby juif américain », si bien que par contradiction je me passionnais pour ce peuple auquel je prêtais d'extraordinaires qualités à en juger par les colères qu'il soulevait chez nous. Notre judéophobie, je le compris, se fondait sur l'adoration secrète des Juifs qui représentaient l'ensemble de tout ce que nous, pauvres papistes bornés à nos évangiles, n'étions pas capables d'accomplir. Alors je me prenais d'admiration et allais jusqu'à m'identifier avec ceux qu'on salissait chaque jour sous des torrents de hargne.

Le hasard aida bien ma curiosité : arrivant de la province à Paris, je ne rencontrais qu'ashkénases et séphardim, et bientôt la plupart de mes amis, à quelques exceptions près, se trouvèrent être de confession israélite. Tout ce que j'aimais de près ou de loin, tout ce qui m'intriguait, m'attirait, m'étonnait était lié au peuple élu. La vie, les coïncidences m'avaient enjuivé des pieds à la tête. En tombant fou de Rebecca, je parachevais ce mouvement, je détournais des générations entières d'antisémites. Elle brisait mon enfance, cassait la direction d'une existence prédestinée, rapprochait des mondes désespérément éloignés par l'espace et la haine.

Fille de trois mères — elle parlait couramment l'arabe dialectal, l'hébreu et le français —, elle symbolisait une diaspora rayonnante ouverte à vif entre l'Asie et l'Occident. Ce n'est pas rien, croyez-moi, que d'épouser l'Afrique du Nord et le Moyen-Orient en une seule personne quand on est soi-même issu d'un lignage restreint. Ashkénase, Rebecca m'eût sans doute moins fasciné car trop nordique encore ; et toujours j'accentuais sa nature arabe dont je m'étais fait une fierté puérile. Ce que m'apportait cette Méditerranéenne dans sa corbeille de noces était plus qu'un quelconque patrimoine ou une simple beauté : elle incarnait une émotion historique, réconciliait en une seule personne Israël, Ismaël et l'Europe. Dotée à mes yeux d'une constellation psychique prééminente, elle combinait l'attrait des nomades et l'aisance des cosmopolites. Entre elle et moi, ce n'était pas deux classes seulement mais trois cultures, trois continents qui dialoguaient et s'échangeaient.

Paradoxalement, je quêtais cet exotisme autant par goût du dépaysement que par besoin d'être enraciné. Je cherchais un être qui eût enfin la justesse des coutumes, l'éternité des gestes et des mots. Et parce que les minorités ont une mémoire que les majorités ont perdue, je vénérais en cette femme une identité forte, trempée par des siècles de souffrance. Je l'interrogeais sans relâche sur les rituels les plus minutieux du Shabbat et de Kippour, les interdits de la nourriture casher, lui demandais à tout propos le sens de tel ou tel mot en arabe, trouvant une véritable jubilation à entendre cette langue parler à travers sa bouche comme si, par le sortilège d'un son, se dressait soudain devant moi une étrangère absolue. Ainsi rattaché par le lien d'amour à une nation — fût-ce une nation d'apatrides — pouvais-je m'en figurer, un instant du moins, membre honoraire, prêt à saisir les racines de ce peuple sans racines à qui l'errance avait fini par conférer le visage même de la stabilité. J'attelais ma carcasse vide à la traîne de ce convoi majestueux, j'étais partie prenante de la tunique bariolée que tisse l'émigration juive essaimée aux quatre coins du monde. La France était ma patrie ; mais en aimant Rebecca, je faisais vœu d'allégeance au peuple du Livre. Parce qu'il était le

berceau de l'amante, le judaïsme devint ma patrie spiri-
tuelle, le rameau mystique de mon cœur. Parfois, je m'ima-
ginais né avec une âme juive et ramené à mes origines par
ma maîtresse; Moïse heureux, j'étreignais en elle la terre
promise et retrouvée.

Je me souviens d'une soirée d'harmonie exceptionnelle :
on projetait à la télévision la serie d'Holocauste; après le
film que nous avions regardé avec mon fils, chez moi ce
soir-là, le petit en larmes prit Rebecca par le cou et lui dit :
« Heureusement que les Allemands n'ont pas tué ta famille,
nous ne t'aurions jamais connue. S'ils reviennent, nous te
cacherons. » Riez, si vous le voulez, je me sentais ému jus-
qu'aux larmes, il me semblait qu'alors nous venions de
souder une alliance éternelle contre le mal et les démons.
Si nous avons un enfant, demandais-je à Rebecca, sera-t-il
juif? Bien sûr nous le ferons circoncire mais aussi
baptiser selon le rite catholique et peut-être également lui
apprendrons-nous le Coran. Comme ça nous aurons mis
toutes les chances de son côté.

Un incident survenu dans un café de la rue Saint-André-
des-Arts vous donnera la mesure de mon état d'esprit
d'alors. Accoudés au bar, nous nous y embrassions
Rebecca et moi quand un jeune clochard qui nous obser-
vait nous traita tout haut de « sales juifs ». Curieusement,
cette insulte me procura une joie perverse : par le miracle
d'un mot elle m'intronisait dans les rangs des fils d'Abra-
ham, me lavait du péché d'être né chrétien! Je me dirigeai
vers l'insulteur, il s'imagina que j'allais le gifler, mais je
l'embrassai. Il avait cru me cracher au visage : il m'avait
rendu l'innocence.

Parfois la nuit, nous parsemions les rues autour de chez
moi de graffiti : « Vive les Juifs », ou nous allions déposer
des bouquets de fleurs aux portes des synagogues, au pied
du Mémorial du Martyre juif.

Pour moi, l'étrangeté de l'aimée se confondait avec
l'étrangeté du judaïsme : son appartenance à la famille hé-

braïque transformait cette femme déjà lointaine en être illimité ; je me sentais exilé auprès d'une exilée. Même paraissant se rendre à moi elle gardait une position d'éminence dont je ne pouvais la déloger ; j'aurais pu à la rigueur la circonscrire en tant qu'individu mais circonscrire un peuple n'était pas à ma hauteur. Et j'éprouvais mon impuissance à la simple évocation des arrière-mondes fastueux qu'elle traînait derrière elle ; d'un seul regard elle accédait à l'immensité quand je cherchais à la réduire à la taille de mon désir. Je suffoquais sous sa richesse et rageais de me trouver devant elle si démuni.

Cette blessure toujours suppurante qu'elle ouvrait en moi, nous la concrétisions dans un attachement commun à la musique arabe. Om Kalsoum, Fairouz, Abdel Halim Afez, Farid el-Atrache devinrent l'hymne national de notre duo. Nous en écoutions les plus beaux passages que Rebecca me traduisait — comme s'ils exprimaient des états d'âme fidèles à notre histoire, et leur rythme convulsif fixait des moments privilégiés que d'autres harmonies n'auraient su rendre. J'adorais la monotonie passionnée de ces mélopées qui par contraste mettaient en valeur la clarté du chant. Ces cadences poignantes nous jetaient dans des transes proches de l'hypnose, mettant une touche nostalgique, presque funèbre dans nos amours naissantes. Il est paradoxal, je sais, qu'une musique de détresse nous ait soudés l'un à l'autre au point que nous l'élisions comme emblème : on se conforte du malheur exprimé, cela dispense de souffrir et garantit du malheur vécu. Notre préférence pour tout ce qui atteste la fragilité s'enchantait particulièrement au frisson de la flûte derviche : vous savez que, dans la tradition islamique, la plume de roseau a été la première chose créée par Dieu. Je ne connais pas d'instrument plus bouleversant de mélancolie que celui-là. Son jeu, d'une extrême pureté, nous jetait dans l'extase au-delà de toute joie ou malheur. C'était dans nos propres os alors qu'on soufflait, notre corps s'évadait en longs tremblements, en frissons délicieux qui nous donnaient la chair de poule et me faisaient monter les larmes aux yeux. Les voix étranges, douloureuses des vedettes arabes, partagées entre la désespérance infinie et la passion de vivre, atteignaient des registres que les voix occidentales ne couvrent pas. Nous nous étourdissions jusqu'au vertige de ce deuil imaginaire pour renforcer notre printemps, tout au ravissement de ces incantations bouleversantes. Musique de la séparation, de l'amour impossible, les sonorités orientales nous purgeaient de la souffrance en la chantant. Elles invoquaient l'être aimé et traversaient cette présence de sa perte possible : nous n'entendions que l'invocation et oubliions la perte.

Que ce tableau ne vous abuse pas : dans cette idylle couvaient des orages qui n'allaient pas tarder à éclater. Les vertus que je prêtais à Rebecca du fait de sa double origine lui étaient trop extérieures pour la définir en propre. N'importe quelle Juive pied-noir eût dans mon esprit bénéficié des mêmes qualités. Et puis, elle n'avait qu'une appartenance passionnelle, non réfléchie à sa communauté, ignorant la quasi-totalité de son histoire et de ses textes. Au moment même où j'exaltais son exotisme, exigeant presque qu'elle s'y conforme, elle n'avait d'autre intention que de trahir son statut, que de s'assimiler. Elle ne reniait pas tant son judaïsme que ses origines nord-africaines, craignant par-dessus tout, dans une France intolérante, d'être confondue avec une Arabe. Je louais une distinction qu'elle voulait cacher, je la félicitais de diverger quand elle n'aspirait qu'à ressembler. Bref, il y avait en elle un besoin de respectabilité lié à son statut d'émigrante qui la rendait parfois plus conformiste qu'on ne l'eût attendu d'une jeune fille de son âge.

Rebecca enfin était possédée d'un idéal d'amour romantique que j'étais loin de partager. Aimant pour la première fois, tout ce qui n'était pas passion lui paraissait dentelles, absurdités, ratiocinages, vaticinations de faibles. Elle adhérait sans réserve à ses sentiments sans que l'ombre d'une perplexité en freine les élans. Gaie, dynamique, souffrant parfois de n'être qu'une jolie femme courtisée pour son charme, elle se lança dans notre aventure avec une fougue qui répudiait tout calcul, toute placidité : elle prétendait vivre intensément dans le cadre du ménage, utopie absurde à mes yeux. Mais cette volonté de marier l'intensité avec le couple m'émouvait tant que je finis par aimer, plus que Rebecca elle-même, la passion qu'elle me portait. Déjà donc germaient les graines de nos discordes.

Un différend, qui à l'époque m'impressionna beaucoup, jeta une première ombre sur notre entente. Mon passé bruyant et dont je m'étais vanté avait apeuré Rebecca qui me prêtait un tempérament volage. Nous étions un soir chez des amis; s'imaginant à tort — cela je ne le sus que plus tard — que je voulais séduire la maîtresse de maison, elle ne trouva rien de mieux que d'avoir un flirt très poussé sous mes yeux avec un des invités; elle avait bu, était ivre, disait n'importe quoi et pour la première fois me lança des méchancetés en public dont l'auditoire, oreilles grandes ouvertes, se régalait. Elle devenait une autre que je n'avais jamais vue, ouvrait la porte à des habitudes que je ne lui connaissais pas.

Elle embrassait le gommeux sur la bouche, gloussait de ses moindres mots, crachait des expressions crues, buvait dans tous les verres, se laissait caresser par le larron grisé qui la pressait de porter les choses à leur dernière extrémité. Et de la voir mimer l'abandon avec un autre — scène qui m'a toujours fasciné pour je ne sais quelle raison obscure, peut-être parce que je place en amour la trahison au-dessus de tout —, de la voir ainsi donc me tordit les nerfs et la raison; mon fantasme applaudissait, mon goût du scandale exultait, mon amour-propre se hérissait. Évidemment, je n'en laissais rien paraître, feignant la plus totale indifférence. Quand la soirée se termina vers les 5 heures du matin, Rebecca, debout devant un taxi, embrassant sa conquête et comparant la vigueur de ses réactions viriles aux miennes, je ne pensais plus qu'à me venger. A peine arrivés, nous fîmes l'amour une dernière fois et je la quittai le lendemain, froidement, bien décidé à ne plus la revoir. Deux jours passèrent. La colère qui m'avait soutenu cédait la place à un certain découragement. Pour rien au monde je n'aurais fait les premiers pas, m'estimant l'offensé. Rebecca m'envoya une amie en ambassadrice. Je me montrai intransigeant. Mieux : je m'affichai avec une fille rencontrée dans un café devant son magasin (mon domicile n'était pas loin de son salon) et m'appliquai à bien l'embrasser sur la bouche en pleine rue. Le lendemain, Rebecca m'appela elle-même. Elle s'excusa pour la scène de l'autre soir avec des sanglots dans la voix. J'étais calme, triomphant et lui confirmai ma décision de ne plus la revoir. Elle me rappela le surlendemain, me suppliant de lui accorder un rendez-vous. J'acceptai du bout des lèvres, trop heureux de la voir s'humilier devant moi : enfin cette fille hautaine mordait la poussière. Elle vint tout de noir vêtue comme pour un deuil et m'expliqua les raisons de son acte. Sa sincérité, le ton humble de sa voix me touchèrent, je l'avoue; j'étais même ravi qu'elle tînt tellement à moi. Ce quelque chose de vacillant et de fragile qui m'aurait fait peur chez toute autre l'embellissait à l'extrême. Mais je ne voulais pas céder avant de lui avoir fait payer très cher son affront; que voulez-vous, je suis ainsi, dès que j'embrasse, je prévois l'instant où je grifferai. Je lui racontai donc par le menu mes aventures de l'été et détaillai un par un ses défauts tant physiques que moraux; chaque mot la faisait sursauter et déclenchait un afflux de larmes. Néanmoins, n'étant pas très sûr de ma position, je témoignai d'une cruauté tempérée.

Après des heures de prières et d'imprécations où j'avais presque grossi son forfait à la hauteur d'un crime, je la pris contre moi et lui assurai que tout était oublié. Elle me jura de ne jamais recommencer ce qui avait été le fruit d'un

*malentendu plus qu'une volonté délibérée de nuire. En fait,
elle m'avait effrayé par ses réactions inattendues : comment faire fond sur un être aussi imprévisible? J'avais
compris combien je tenais à elle : au point de lui pardonner
de m'avoir bafoué — le pire des outrages, pour moi qui de
tous les sens n'ai que celui du ridicule. J'avais compris également combien elle tenait à moi : au point de se prosterner
à mes genoux. Chacun avait testé la résistance de l'autre,
chacun avait plié non sans faire céder son vis-à-vis : bel
exemple de capitulation mutuelle en attendant d'autres
combats; nous venions de passer un galop d'essai, et ce
premier affrontement préfigurait tout ce qui advint par la
suite.*

*Nous avions eu peur, il fallait mettre fin aux tourments,
nous attacher l'un à l'autre par les rets d'un contrat réciproque. Après cette escarmouche, nous étions prêts pour le
« je t'aime ». Le serment fut prononcé deux semaines plus
tard lors d'une promenade à bicyclette sur une route de
Provence où nous passions quelques jours à l'occasion de
la Toussaint. A mon aveu, Rebecca faillit tomber de sa
machine. J'étais moi-même très ému et accélérais le mouvement comme si la vitesse ôtait à la révélation un peu de
son sérieux; à tel point que Rebecca me fit répéter plusieurs fois de peur d'avoir mal entendu. Ainsi l'irréversible
était-il commis : et le « je t'aime » une fois avoué avec son
corollaire impératif « aime-moi », il ne s'agit plus de se
dédire, il faut éponger la dette jusqu'à épuisement. Nous
avions colmaté l'incertitude, nous allions en payer le
prix.*

L'infirme s'arrêta brutalement. Il avait les yeux creusés, les joues pâlies par l'effort.

— Je vous fais horreur, n'est-ce pas?

— Horreur, pas du tout.

— Mais si, je vous jette mes aveux au visage à vous
l'honorable touriste et je vous dis : tenez, c'est moi.

— Je vous assure...

— Pardonnez-moi, je suis épuisé ; d'avoir ranimé ce passé m'a mis les nerfs à vif. Puis-je espérer que vous reviendrez demain ?

— Peut-être oui, pourquoi pas ?

L'éloquente fureur de l'invalide s'était prolongée fort avant dans la nuit, et il était trois heures du matin quand je rentrai, hébété, jusqu'à ma cabine à travers des couloirs déserts. Les portes se succédaient à l'infini comme dans ces immenses cliniques où l'angoisse prend un éclat blanc. Cette confession mélancolique autant que graveleuse m'avait éprouvé, presque choqué ; à vrai dire, le mauvais goût de ce récit et du procédé inventé pour me le faire entendre auraient dû m'avertir dès l'abord. J'avais cédé uniquement par déférence envers ce handicapé. J'avais hâte de tout raconter à Béatrice et de lui demander conseil, mais elle dormait déjà. La quiétude de la cabine noyée dans la blancheur de la lune me rasséréna. Les seins de ma compagne étaient deux pommes cuites au four contre lesquelles je posai ma tête. Je repensai une dernière fois à la sotte dépréciation des blondes qu'avait tentée Franz ce soir et, me blottissant dans la chaleur des draps, je m'endormis, heureux de notre santé, de notre jeunesse si loin de l'univers aigri, malsain de cet homme.

Le chat sauvé des eaux.
Risibles pervers.

Dès mon réveil, je fis part à Béatrice des événements de la nuit. Elle sourit de mon entrevue avec Rebecca et me supplia de ne pas prendre quelques mousses verbales pour des injures. Quand j'arrivai à l'épisode de Franz, elle parut plus intéressée.

— Qu'est-ce qu'il te raconte au juste ?

— Il me fait goûter sa femme par les mots, me communique des renseignements intimes sur elle, trace l'exégèse lyrique de leurs étreintes.

— Tu n'es pas gêné qu'un inconnu t'ouvre son cœur, ne te fasse grâce d'aucun détail de sa vie ?

— Il m'a presque enrôlé de force pour l'écouter ; tu vois, un peu le style de l'*Éternel Mari*. Et puis n'arrêtant pas de s'accuser, de s'accabler.

— Pour se noircir autant, il doit avoir quelque chose à cacher...

— Je ne crois pas à ses vices ; pour tout t'avouer, je l'ai trouvé plutôt pathétique. Je ne suis pas sûr de retourner l'écouter.

— Pourquoi pas ? Cela te fait une distraction, tu rends service à un paralysé et tu pourras toujours me répéter ce qu'il t'aura dit.

Ce marché et plus encore le flegme avec lequel Béatrice accueillit ce qui était pour moi presque un incident me rassura. Étais-je naïf de m'être alarmé pour si peu !

Il était tôt encore. Nous marchions à la poupe, cette

partie la plus féminine d'un bateau parce que dans sa rondeur elle accrédite presque l'idée d'un postérieur. Aucune brise ne ridait l'eau, la journée s'annonçait aussi belle que la précédente. Le balancement du navire, le caquetage des mouettes — nous naviguions à vue des côtes et avions passé Naples à l'aube —, enfin le ronronnement quasi narcotique des machines m'emplissaient d'une joie irrésistible. Quoi de plus beau que de fuir avec celle qu'on aime, de réunir la fantaisie du nomade et la constance affective ? Chaque minute nous rapprochait de l'Asie, et notre imagination que rien ne réfutait encore pouvait tout à sa guise parer cette terre lointaine des couleurs les plus chatoyantes. Soudain, sur le solarium au milieu des transats, nous aperçûmes un homme faisant du yoga. Droit comme une tige, vêtu d'un collant et d'une chemise flottante, il adoptait avec une infinie lenteur des postures difficiles, pareil à une fleur qui aurait poussé comme par miracle d'entre les jointures du pont. Dès qu'il eut terminé, nous nous approchâmes de lui. Il nous accueillit sans effusions. Il était monté à Naples cette nuit. De nationalité italienne, il s'appelait Marcello, et parlait français couramment. Il prétendait aimer cette heure matinale et ce lieu pour pratiquer sa gymnastique : « C'est le seul instant où je puisse poser mes pieds sur le ciel. » Nous eûmes une brève conversation : il avait passé deux ans déjà en Inde où il se rendait, cette fois encore, dans un ashram près de Bombay. De l'Inde encore, il nous dit qu'elle n'était pas un point dans l'espace mais un niveau de la conscience humaine, et nous recommanda d'y aller dans un esprit de dénuement et d'humilité totale. J'acquiesçais avidement, buvant ses mots comme, petit lait. J'en profitais pour lui énumérer immédiatement tous les livres que j'avais lus sur ce pays. Il me répondit avec scepticisme que ce n'étaient pas les livres essentiels et que de toute façon lire ne servait à rien. Alors que faire ? Il se leva et nous dit :

— Rabindranath Tagore demandait à Dieu de faire de lui un roseau qu'il pût remplir de Sa musique. Aspirons à n'être que le meilleur instrument possible entre Ses mains.

Sur ces paroles énigmatiques et presque déplacées dans ce lieu profane, il nous quitta. Je craignais d'avoir dit une bêtise. Béatrice s'esclaffa :

— Il y a vraiment de tout sur ce paquebot : un sikh indien qui veut se faire passer pour un lord anglais, un guru napolitain qui joue au prophète, un hémiplégique qui se croit dans un roman russe et même deux professeurs en cavale qui se prennent pour des aventuriers !

A midi, un soleil admirable entrait par la baie vitrée de la salle à manger, rebondissant sur le blanc immaculé des nappes. La pièce était tranquille, à l'exception d'un groupe d'étudiants gréco-turcs qui s'affrontaient en anglais sur la question chypriote. Leurs éclats de voix laissaient craindre une querelle mais un membre de l'équipage vint les séparer. Nous en étions au milieu du repas quand Franz fit son entrée, véhiculé dans sa poussette par une Rebecca déguisée en nurse austère et froide. C'était leur première apparition en public : la disparité hallucinante de ce couple avait dans sa boiterie quelque chose de choquant et de glaçant qui imposa le silence à tous. Le paralytique baissait les yeux dans un regard plein d'humilité, comme gêné de dévoiler la misère de sa condition. Affaissé dans sa chaise, son col de chemise trop large absorbant son cou, il paraissait tellement fragile, rétréci que je me sentis pénétré d'une pitié instinctive et regrettai ma condescendance de la veille. Rebecca nous salua d'un ton moqueur. L'infirme tendit la main vers Béatrice :

— L'agréable ruine qui vous parle porte le nom de Franz.

— Une ruine n'est jamais agréable, coupa Rebecca.

Puis se tournant vers moi :

— Il paraît, « monsieur Courroucé », qu'il vous a harponné hier au soir ? Je vous plains car ce n'est pas un cadeau.

Sous cette réflexion, l'invalide avait sursauté comme un enfant rappelé à un ordre dont il sait la sévérité mais qu'il ne réprouve pas. C'était vraiment une pauvre misère d'homme, et pourtant, même au sein du malheur, il gardait dans les yeux une lueur de méchanceté. J'avais honte de participer en témoin à son avilissement mais ne trouvais aucun mot pour faire diversion.

— Vous avez pris Didier comme confident, c'est officiel ? demanda Béatrice.

— Didier a fait un pacte avec moi.

— Et que lui donnez-vous en échange ?

— Je lui insuffle des états d'âme, cela ne suffit-il pas ?

Rebecca ne déjeunait pas avec nous, retenue à une autre table où je reconnus le commandant de bord ainsi que Raj Tiwari. A peine sa femme éloignée, Franz se ressaisit et manifesta une bonne humeur presque joviale. Alors commença un étrange dialogue à mi-chemin du badinage et de l'agression, exemple prémonitoire de ce qu'allaient devenir nos rapports durant les quatre prochains jours. L'infirme nous expliqua les raisons de leur voyage à Istanbul : ce congrès mondial d'acupuncture où venaient les plus grands spécialistes de Chine populaire, et dont il espérait une amélioration de son état. Il se montrait d'une amabilité outrancière avec Béatrice, louant son charme et sa beauté — chose étrange puisqu'il m'avait avoué hier son aversion pour les blondes. Mais entre deux compliments, il ne manquait pas une occasion de sortir les griffes comme s'il voulait nous punir d'avoir été humilié en public par sa femme. Il accompagnait chaque douceur d'une fiellerie qui en brisait immédiatement la portée, jouant de son état pour innocenter ses paroles. Il parlait si vite, mêlant sucreries et malveillances, que nous n'avions pas le temps de faire le tri, de lui rétorquer sur tel ou tel point précis. Ainsi, il nous demandait :

— Comment vous êtes-vous connus ?

Béatrice lui répondait en toute candeur sans se méfier.

— A la bibliothèque de la Sorbonne, Didier préparait son capès et moi ma maîtrise.

— Assez conventionnel comme rencontre, mais, bien sûr, pour des enseignants on ne peut pas demander plus original.

A l'en croire nous étions menacés par les pires malheurs et marchions au bord d'un gouffre. Il affirmait ainsi :

— Quelque chose dans votre couple, peut-être une certaine jubilation, proclame qu'étant ensemble vous n'avez besoin de rien ni de personne.

Affable constat qu'il corrigeait aussitôt :

— Toute forme d'amour si harmonieuse soit-elle abrite un drame ou une farce latente. Et chez l'homme le plus honnête, il reste toujours assez d'étoffe pour faire un salaud. Mais ne vous inquiétez pas : vous m'avez l'air d'un couple très sage, un peu vieux jeu même. Vous allez aussi bien ensemble qu'une cravate noire sur un costume gris. Je le dis sans malice, le rétro est à la mode aujourd'hui.

Ou encore, il nous bombardait de sous-entendus sur une prétendue infidélité de ma part :

— Avec une compagne comme vous, ce vilain libertin (il me désignait de la tête) ne devrait jamais regarder une autre femme.

— Il n'en regarde aucune et ne se montre libertin qu'entre mes bras, répliquait Béatrice.

J'applaudissais son aisance mais Franz ne se tenait jamais pour battu : il continuait par petites touches ou des questions adroitement orientées à lancer des flèches sur l'étroitesse de notre vie, la naïveté de nos projets. Il nous exposa ensuite que sa femme ne déjeunait pas avec nous parce qu'elle avait un chevalier servant parmi les officiers du bord.

— Elle a un succès fou, les hommes se pressent autour d'elle comme des mouches. Vous, Béatrice, comment se fait-il que les mâles de ce navire ne soient pas à vos genoux ?

Je crus qu'elle allait se lever tant elle avait pâli.

— Je ne sais pas, répondit-elle finalement, sans doute que je ne les magnétise pas autant que votre épouse.

A la fin, cette avalanche de piques m'irritait. On peut les juger mineures ; chaque jour, après tout, des inconnus vous provoquent sans raison apparente. Pourtant, j'étais inexplicablement vexé de l'absence de Rebecca à notre table. Je me demandais pourquoi elle, et non Béatrice, était devenue la coqueluche de l'équipage. Et pourquoi Tiwari, si empressé hier soir auprès de mon amie, la délaissait-il maintenant pour l'épouse de Franz ? Avais-je pour maîtresse une laissée-pour-compte ?

Rien ne trouvait grâce aux yeux de l'infirme, et il distribuait blâmes et satisfecit comme un prêtre l'hostie à ses fidèles. Quand il eut fini de disséquer notre couple, il attaqua notre voyage :

— Quelle drôle d'idée de partir en Inde, plus de dix ans après la grande vogue. Vous savez que vous êtes complètement hors du coup ? Le voyage en Orient est un genre condamné.

— La mode, répliquai-je sèchement, est peut-être passée. Mais l'Inde persiste et n'a rien perdu pour moi de sa fascination.

— Pardonnez ma brutalité, mon cher, mais cessez de prendre cet air séraphique quand vous évoquez l'Asie ; vous n'êtes qu'un puceau de la route, vous en reviendrez comme les autres. Je ne voudrais pas doucher votre enthousiasme mais laissez-moi vous raconter quelques histoires. Il y a trois ans je me trouvais avec Rebecca à Bombay. Nous sortions du Taj Mahal, l'un des plus grands palaces de l'Inde, et nous dirigions vers un musée de miniatures mogholes non loin de là. A un carrefour, nous apercevons une foule de badauds. S'agit-il d'un accident, d'un fakir, d'un charmeur de serpents ? Nous nous arrêtons. Au centre d'un cercle, une femme porte sur les bras un bébé qui pousse des cris stridents. Elle mendie. Sur les yeux de l'enfant est posé un bandeau étroitement serré. Mon bébé malade, dit la femme dans un maigre anglais, et elle tend la main vers nous. Je me présente comme docteur et demande de quelle maladie souffre l'enfant. La femme ne répond rien. J'insiste : je suis médecin, laissez-moi voir ce dont il s'agit, je suis ici pour vous aider. La femme refuse farouchement de me confier le petit qui hurle de plus belle apparemment en proie à des douleurs insupportables. La foule commence à insulter la mère, alors je lui arrache le bébé des bras, lui ôte son bandeau : sur ses orbites sont collés deux gros cancrelats qui de leurs pinces et griffes rongent sans cesse les petites paupières ensanglantées. Furieuse, la femme s'enfuie et abandonne le pauvre enfant dans mes bras.

Je reposai ma fourchette dans l'assiette. Franz nous observait, savourant l'impact de son infâme récit, grognant parfois sans que l'on sache si c'était un hoquet ou des éclats de rire. Béatrice fut la première à se reprendre :

— Je crois avoir déjà entendu cette histoire. Vous avez l'air d'adorer les ragots.

— Mais non, se récria Franz, je veux simplement vous ouvrir les yeux. Ce fameux peuple hindou qu'on dit transi de spiritualité, est corrompu du haut en bas de l'échelle sociale : du brahmane au paria, du ministre au mendiant, c'est à qui rivalisera de cupidité ; la musique, la lancinante musique indienne qui vous accompagne partout, vous savez ce qu'elle est : bakchich, Sir, give me bakchich.

Il nous gratifia ensuite de quelques autres récits tout aussi ignobles que le premier : cette accumulation de sordide nous avait coupé l'appétit.

— Vous puisez vos informations dans les poubelles, dis-je, le cœur levé.

— Ah ! les délicieux naïfs que vous êtes. Il faut vraiment venir sur des rafiots comme celui-ci pour tomber sur des gogos de votre acabit. Je ne comprends pas, vous vous jetez sur l'Orient comme sur un corps de femme. Mais pour y chercher quoi, grand Dieu ? Qu'allez-vous faire dans cette marée humaine de loqueteux ?

J'avalai ma salive et prononçai le plus solennellement possible :

— Je vais chercher en Inde ce que nous avons perdu en Europe : la patrie de l'Être. J'y pars comme on va à l'essentiel : par fatigue d'une vie vaine et profane...

— En somme, l'Inde serait pour vous l'espace du sacré...

Croyant l'avoir impressionné, je lâchai pompeusement :

— Si vous voulez. Et je me doute qu'il n'est pas donné à tout le monde de se maintenir au niveau exaltant des grands moments qu'offre un tel pays.

— Maintenez-vous déjà au niveau de la mer, railla l'infirme, cela vous évitera de délirer. Moi, une seule raison me pousserait à voyager : c'est qu'après trente années d'existence en France, je ne sais même pas le nom des fleurs et des arbres les plus élémentaires. Mais, je ne veux pas vous influencer, je n'ai pas le droit d'infléchir votre choix. Je plaisantais bien sûr : tout le monde sait bien que l'Orient est la somme des malentendus qui germent dans l'esprit des Occidentaux. D'ailleurs, je ne vois pas ce qu'on reproche aux touristes ; ils animent des lieux mourants, ils sont la vie de pays sinistres qui ne s'éveillent que dans les mois où ils passent, et retournent ensuite à leur torpeur. S'ils massacrent les cultures, c'est que ces cultures étaient prêtes à mourir. Allons, je me sens porté vers vous ainsi que vers votre compagne par une sympathie, obscure certes, mais dont nous ne pourrons manquer de découvrir tôt ou tard les raisons.

Comment pouvais-je après ces protestations d'amitié me fâcher ou même ferrailler avec un être dont j'avais pourtant toutes les raisons de me méfier ? J'allais en Inde avec la certitude d'impressionner et la crainte de n'être pas compris. Je me promettais de faire de belles phrases, repassais des citations, des phénomènes bizarres dont j'escomptais que leur seule étrangeté me ferait honneur. Et cet invalide me volait mes effets ! Je ne mesurais pas le retentissement de ses médisances sur moi. Le mirage oriental n'était pas encore fissuré mais j'avais déjà le sentiment d'avoir changé de route sans pouvoir désigner l'instant exact où l'escroquerie avait eu lieu ni localiser le point où se situait le dévoiement. J'avais eu le tort de montrer ma susceptibilité et il ne s'était pas fait défaut d'y mordre. Comment avait-il découvert tout ce qui m'agaçait ? J'étais fâché de m'être rendu si facilement accessible. Sur ces entrefaites, Rebecca revint pour reconduire Franz. Elle l'appela d'une voix sèche et sans réplique comme si elle appelait un domestique.

— J'espère qu'il ne vous a pas trop importuné avec ses rengaines ? Il a des jambes dans la bouche à défaut de pouvoir marcher.

L'époux avait repris son air d'écolier fautif, de djinn obéissant, mais il continuait à babiller, accompagnant son verbiage d'une gesticulation véhémente. Et bien que nous ne prêtions qu'une oreille distraite à son discours, il persistait dans les paradoxes, grand pélican hideux et sinistre qui se grisait de paroles comme d'autres de boissons. A le voir avec sa femme on avait un singulier soupçon sur la bizarrerie de leur communauté, et plus j'entrerais dans leur intimité, plus ce sentiment allait s'imposer à moi. Pendant qu'il pérorait, Rebecca nous toisait d'un sourire que je ne pouvais qualifier autrement que de narquois. Je l'observais à la dérobée, n'osant la regarder en face. Il y avait en elle un côté femme de proie qui ne m'était pas encore apparu. J'avais été sot et emprunté devant elle hier. Il valait donc mieux que je ne la voie plus, qu'elle ne vienne plus me rappeler par sa présence combien j'avais manqué d'à-propos. D'ailleurs, elle me parut très ordinaire en cet instant, bien différente du portrait somptueux qu'en avait tracé Franz la veille, et j'en fus soulagé.

— Heureusement que nous sommes quatre et non pas trois, s'écria l'infirme, trinité ridicule qui ne devrait se montrer qu'un bonnet d'âne et des cornes sur la tête!

Il avait dit cela en me fixant, et je me sentis troublé comme s'il essayait de créer entre nous une quelconque solidarité.

A cet instant, Rebecca se baissa pour ramasser la serviette de son mari tombée par terre et elle me pressa la main sous la table. Je restai interdit, sans bouger, sans lui rendre sa pression. J'ignore la durée de la position de cette main car, pendant les quelques secondes de cette étreinte, le temps me sembla suspendu aussi immobile que l'air du salon. Quand elle se releva, elle dit simplement :

— Allez, vieux radoteur, cesse d'importuner ce charmant petit couple, ils ont mieux à faire que de t'écouter.

D'avoir énoncé cette phrase fit naître sur son visage une brusque explosion de gaieté. Elle se régalait de nous avoir épinglés comme les deux branches d'un portemanteau. Du moins c'est là ce que me dicta ma mélancolie.

— « Le charmant couple » ne se sent nullement importuné, repartit Béatrice, et la maladresse de sa réponse me prouva qu'elle était tout comme moi blessée.

Dès que le handicapé et sa femme furent partis, j'explosai : j'en avais assez de ces gens qui ont à leur actif deux ou trois pays de plus que nous et ne manquent pas d'en tirer un motif de supériorité. Béatrice me calma ;

selon elle chacun avait ses raisons ; elle trouvait Franz irritant mais il fallait tenir compte de son infirmité ; quant à sa femme, elle devait souffrir du calvaire de son mari. Ce qui me chagrinait en réalité, c'était d'aller dans un pays que tout le monde connaissait déjà et de perdre le privilège de l'originalité.

— Non, Béatrice, ce n'est pas une question d'amour-propre. Pour moi, il est un autre Orient, mot vide peut-être mais dont la simple évocation possède déjà la grâce d'un ravissement, la beauté d'un miracle. Cet Orient du cœur, cet autre côté de notre monde ne s'éteindra jamais, dût chaque État de l'Asie se moderniser, s'aligner sur l'Europe. Orient immortel, qui n'est pas localisé ici ou là, échappe aux caprices de l'Histoire et seul favorise ces conspirations de l'enthousiasme propres aux âmes emportées...

— Pourquoi ne l'as-tu pas dit à Franz ?

— Parce que je ne discute pas avec un imbécile et que je lui laisse le pauvre bonheur d'avoir raison !

Dans mon dépit se mêlaient la colère de voir mon rêve asiatique bafoué et l'exaspération que me causait Rebecca. Cette fille froide et provocante me tourmentait comme peut tourmenter l'image d'une femme dont un tiers tisse la légende. Et cet intercesseur, loin de constituer un obstacle entre elle et moi, doublait la valeur de cette dernière à mes yeux. Qu'elle existe en chair et en os, voilà qui m'agaçait : le personnage imaginaire m'eût suffi. Mais pourquoi cette poignée de main sous la table ?

Une heure plus tard, depuis Mestre, port d'attache de notre navire, nous arrivions à Venise en taxi en compagnie de Raj Tiwari. Nous avions une très longue après-midi devant nous, le *Truva* ne repartant que le soir vers 23 heures. Il faisait un temps splendide qu'altérait à peine une brise iodée en provenance du large. Les touristes étaient peu nombreux ; au Rialto, Tiwari nous quitta pour visiter de son côté la basilique et le palais des

Doges, et nous convînmes de nous retrouver plus tard au café Florian. Je n'étais pas revenu ici depuis l'âge de douze ans : je m'attendais à une ville usée, une ville musée, je découvrais la jeunesse même, un paradis entrevu, et la sensation d'être en présence d'une merveilleuse folie dissipa ma tristesse. Notre voyage commençait ici ; à Venise nous étions déjà en Asie, nous n'avions même pas mis pied à terre mais simplement changé d'embarcation !

Tendrement enlacés, Béatrice et moi évoquions avec cette puérilité fiévreuse des enthousiastes les siècles passés où la ville était si joyeuse avec ses carnavals et ses longues insomnies de plaisir et, surtout, nous bénissions l'eau omniprésente, les rues liquides, la confusion savamment entretenue entre habitat terrestre et habitat flottant, allant jusqu'à supposer qu'on tangue le soir dans son lit à Venise et qu'il faut s'y attacher pour ne pas tomber. Et nous déambulions ainsi, charmés, au milieu des bruits apaisants par leur régularité même, les oiseaux dans les innombrables jardins, les cloches des églises toujours vibrantes. Imprégnée par l'atmosphère romantique de la cité des amants, Béatrice me rappelait notre première année de vie commune. Comment en étais-je venu à l'aimer ? Cela se passe d'explications : elle était jolie, cultivée et nous partagions un même attrait pour les choses écrites. Nous n'avions pas d'enfants mais programmions d'en faire un à notre retour d'Asie. Notre union était basée sur des principes simples et solides, nous avions choisi la fidélité par haine de la dispersion, et abandonné les aventures à l'inessentiel comme autant d'existences possibles et refusées. Je ne me sentais pas contraint : j'ai toujours tenu le libertinage pour une preuve de déséquilibre, et cela nous épargnait les bassesses, les compromis, les mensonges des ménages désunis. Bien qu'établis en concubinage, nous restions fidèles par mépris de l'adultère bourgeois. Nous avions refusé le mariage en acceptant ses contraintes. Et comme Venise nous donnait raison !

Alors que nous arrivions sur une piazza déserte, les bruits cessèrent brutalement. Une mélancolie très douce, presque inquiétante épanchait sur toutes choses une lumière sans vie, cette lumière jaune et pâle des soleils d'hiver. Le silence était tel que nous osions à peine le troubler par le bruit de nos pas.

— Écoute ce mutisme, c'est celui des conspirateurs et des amants, celui qui précède les grands frissons.

A peine avais-je parlé que de cette fracassante immobilité des choses s'éleva un cri de détresse. Je crus d'abord aux pleurs de quelque bébé. Mais leur répétition insistante, leur brièveté étaient sans nul doute d'origine animale. Nous guidâmes nos pas sur ces gémissements : ils provenaient du pont de l'Académie. Un essaim de polissons et de bambins, emmitouflés dans des écharpes multicolores, étaient penchés sur la rambarde et se montraient du doigt un point sur le grand canal. Enfin j'aperçus l'objet de leur curiosité : c'était un chat noir minuscule qui était tombé à l'eau et se débattait contre la noyade. A chaque passage d'une vedette ou d'un vaporetto, la bestiole avalait des tasses et ses couinements s'étranglaient dans sa bouche. Chaque fois nous nous attendions à ce qu'elle coule mais tenacement elle résistait et reprenait ses lamentables piaillements. Il y avait en elle une obstination stupéfiante : elle n'appelait pas au secours, elle donnait un ordre auquel il était difficile de se soustraire. Dans la romance d'une Italie insouciante, c'était la voix d'un être qui protestait contre l'indifférence, l'affreuse solitude d'un animal oublié dans un monde où les hommes eux-mêmes sont seuls. Quand il tentait de se rapprocher de la berge et se hissait dans un sursaut, l'humidité des algues déjouait ses prises et il retombait à l'eau. Il nageait en rond, décrivait des cercles qui ne le menaient nulle part, s'épuisait rapidement. Plus il s'éloignait, plus ses remontées fugitives avaient l'air d'un miracle, d'une réussite du hasard impossible à renouveler. Une petite foule de badauds s'étaient rassemblés pour regarder ce naufrage : le sauvetage du chaton n'était possible que par voie d'eau, un jardin privé rendait l'accès par terre inabordable ; mais les embarcations, assourdies par le bruit de leurs moteurs, n'entendaient pas ses hurlements. L'anxiété serrait toutes les gorges parce que le minet avait rapetissé jusqu'à une exiguïté qui semblait le condamner sans recours. De toute évidence il était perdu : nous assistions à l'agonie.

Alors, devant la passivité générale et pour faire taire ce braillement qui m'exaspérait comme un remords, je me lançai au secours du noyé. Je n'ai pourtant rien d'un téméraire. Je descendis sous les voûtes du pont encombrées de tessons de bouteilles, grimpai au parapet et me heurtai à la grille du jardin mentionné. Une plaque indiquait la chancellerie suisse d'ailleurs fermée (nous étions un samedi). J'enjambai cette clôture, me glissant entre deux pointes, au risque de m'y empaler. J'aurais pu être arrêté, mis en prison peut-être : la détresse du chat me semblait prévaloir sur les lois protectrices de la propriété privée, et naïvement je me disais qu'un pays neutre comme la Suisse ne pouvait poursuivre quiconque portait assistance à un animal en danger. Et puis n'avais-je pas le désir secret d'impressionner ma compagne. N'y avait-il pas quelque fanfaronnade dans ma résolution ? Bientôt, j'atteignis le ponton de la chancellerie, petite avancée de bois posée sur pilotis dans le grand canal ; j'appelais le minet, lui tendais la main : grisé de terreur, il partait dans la direction opposée, allait traîner dans l'éloignement ses glapissantes lamentations auxquelles d'autres matous enroués mêlaient leurs plaintes. Je ne pouvais faire plus et rageais d'échouer si près du but. Vue du sol, l'eau paresseuse et putride, qui du haut des berges rayonnait de la vie solaire des marbres, gagnait presque la consistance d'une mélasse. Des bouffées de décomposition émanaient de cette avenue liquide, quelque chose de borgne, d'immergé y pourrissait sous l'opulence des palais et des demeures. De ma position je lus une inscription graffitée en italien à la bombe sur un mur : « Trop de passé, pas assez de présent, aucun avenir. » Le courant gras chargé d'immondices me défiait de jamais pouvoir lui arracher ce vacarme à poils et moustaches qui s'y enlisait inexorablement. Du haut du pont, les passants m'encourageaient : le félin n'était qu'à une portée de bras mais ne se rendait toujours pas à mes appels pourtant formulés sur le ton le plus doux. Je m'étirais le plus possible : une mousse sous mon pied me fit glisser et stupidement je chutai à l'eau à mon tour. Un tremblement glacé me saisit à travers mes vêtements, j'avalais une tasse, crachais, m'ébrouais. Je crois que la noyade m'eût paru préférable alors à ce pataugement dans l'envers moisi de la cité. Quoi ! des injustices flagrantes déchiraient l'humanité, des millions d'enfants mouraient de faim, douze siècles d'histoire m'avaient précédé ici et je risquais ma vie pour un chaton ! Cette formidable disproportion m'épouvanta et je me vis tout de suite en saint-bernard ridicule, chevalier malchanceux d'une cause absurde. La peur seule, je pense, m'empêcha de couler de honte à cet instant dans le canal aux odeurs d'égout.

En deux brasses, j'agrippai le moustique braillard, le lançai sur le ponton et m'y rétablis à mon tour. Une gerbe d'applaudissements fusa au-dessus de ma tête. Cette approbation calma mon amour-propre. J'étais transi, et renversai le minet pour le vider de son eau qu'il se mit à rendre comme une outre. Ce n'était plus un chat mais une pâte, une éponge gorgée qui palpitait au rythme d'un cœur emballé. Les muscles tétanisés, griffes et dents sorties, vibrant d'une nervosité électrique, il continuait à miauler, à se débattre comme si le dommage subi dépassait le simple danger d'une noyade, témoignait d'une douleur immense, irrémédiable pour laquelle n'existait aucune réparation. Dès mon retour dans la rue, Béatrice me sauta au cou, défit son écharpe, en enveloppa le bébé vociférant. J'aurais voulu le soigner, l'emporter peut-être ; Béatrice s'y opposa, il n'était pas question de le garder, les animaux étaient interdits à bord du *Truva*. Elle-même d'ailleurs était allergique aux félins. Il n'y avait qu'à le rendre à la colonie de chats sauvages qui avaient élu domicile sous une arche du pont et qui prendraient soin de lui. Le rescapé continuait à pleurer d'une manière déchirante, et longtemps sa sirène geignarde nous poursuivit à travers les rues alors que nous partions vers le Florian où j'avais hâte de boire un chocolat brûlant pour me réchauffer. J'étais plein d'une sentimentalité bête, et regrettais presque de n'avoir pu fléchir ma compagne pour emporter le petit avec nous. Au café, nous retrouvâmes Raj Tiwari, et malgré sa condescendance amusée, je ne lui épargnai pas un détail de mes hauts faits. Plus exalté peut-être qu'il n'eût convenu, je pérorais :

— Nous avons fait mentir la légende de Venise. Où d'autres célébraient la mort, nous avons rendu la vie. Et c'est dans cette ville que j'irai au retour porter mes souvenirs comme un humble tribut à ses trésors inépuisables.

En fin d'après-midi, mes vêtements avaient séché, nous arpentions le quai des Esclavons où fusait la lumière nacrée de la mer quand le soleil soudain fut voilé par des nuages qui s'amoncelèrent au-dessus du Lido. Les coupoles, les marbres, les dômes, les ors s'éteignirent d'un seul coup tandis que l'eau prenait une teinte livide. Le ciel s'assombrit, une nuit prématurée tomba. Des frissons subits hérissaient la fourrure trempée du grand canal qui s'étirait nerveusement en faisant le gros dos. Un vent froid, mordant, nous gela les sangs. En quelques minutes la place Saint-Marc, vidée de ses occu-

74

pants, fut quadrillée par un réseau de neige qui se déposait sur les dalles glacées ; au lieu de s'enfoncer dans la mer, Venise, la frileuse, se noyait par en haut, dans un océan de blancheur, Venise sombrait dans le létargo d'hiver.

Nous convînmes de retourner au bateau : contre l'avis de Béatrice j'insistai pour revoir une dernière fois le mistigri sauvé des eaux. Nous marchions à pas vifs, voltigeant entre les flocons, nous lançant des boules de neige. Les gondoles semblaient des escargots noirs, glissant sur l'ouate pour accompagner quelques funérailles. La neige, qui poudrait les toits d'un léger tapis d'argent, étendait par les places et les rues une immense couverture moelleuse qui épaississait le silence de la nuit, seulement troublé par le grésillement des flocons qui se consumaient dans l'eau. L'arche du pont de l'Académie disparaissait sous les ténèbres ; j'allumai un briquet ; un groupe de fauves s'enfuit devant la flamme, les babines retroussées comme si je les avais chassés de table ; à leur place, je ne vis d'abord qu'un amas de laine chiffonnée, les plis de l'écharpe de Béatrice ; non loin gisait, le ventre à l'air, une petite charogne — que je pris d'abord pour un sac de peau — l'arrière-train à moitié dévoré, baignant dans une flaque de sang. Sous mes doigts, elle céda avec une élasticité flasque : je l'amenai à la lumière et reconnus le chaton, sa langue rose légèrement sortie découvrant des dents semblables à des dents de peigne. Son visage était torturé dans une expression d'indicible terreur. Je l'enveloppai dans l'écharpe et jetai la dépouille à l'eau.

Béatrice chercha les mots qu'il fallait pour me consoler mais je ne lui sus aucun gré de sa délicatesse. Une voix pernicieuse me soufflait que l'opération avait échoué par sa faute. Sans sa stupide phobie des chats, le matou serait encore vivant à cette heure. Elle avait beau s'excuser, je ne lui trouvais aucune circonstance atténuante. De retour à bord, j'allai, seul, respirer à l'arrière la neige au goût de sel. Je m'imposais malgré le froid une veille attentive, arpentant passerelles et escaliers, maudissant d'un même cœur ma maîtresse et Venise, ville des beaux rêves et des pires réveils. Je restai là longtemps, immobile, en proie à des songes résiduels, dominé par la déception et le découragement, regardant le port parsemé d'embarcations indistinctes, de feux mouvants, noyé sous l'enchantement blême des flocons qui étouffaient les bruits. Comme je me reprochais d'avoir prêté à un épisode plus que banal les couleurs d'un événement, presque d'un défi. J'étais abîmé dans cette rêverie morose quand une main me frappa d'un coup sec sur l'épaule : c'était un marin. Il me cherchait depuis une demi-heure pour me remettre un mot de Franz, libellé comme suit :

« J'ai su par Béatrice votre mésaventure de l'après-midi. Croyez que j'y compatis de tout cœur et vous invite à vous en consoler dans ma cabine en écoutant la suite de mon récit. »

Dans l'abattement où j'étais, toute proposition m'eût convenu : mon désœuvrement, le peu d'envie de me retrouver face à face avec Béatrice me poussèrent à venir écouter les sornettes du paralytique. Il semblait bien disposé, m'accueillit avec un grand sourire et comme la veille m'offrit un thé.

— Croyez bien, Didier, me dit-il, que je ne vous convie dans mes modestes pénates que pour vous ouvrir mon cœur de la façon la plus simple. Et je n'espère en retour qu'un peu de reconnaissance pour vous avoir distrait et mis en garde contre cette ensorceleuse de Rebecca.

Je souris de cet avertissement et, me calant contre les coussins du lit, écoutai d'une oreille d'abord distraite la suite de ses amours.

Risibles pervers

Pardonnez d'emblée à un vieux fou cloué sur son grabat et le sentimentalisme suranné et la trivialité de son histoire. Mais je vous en prie : ne jugez pas les désordres qu'entraîne un sentiment excessif. Sachez donc qu'après neuf mois de vie commune, Rebecca et moi, nous rencontrâmes une seconde fois, dans un brusque accès de température qui illumina notre liaison d'un jour sans égal. En ce temps-là donc ma maîtresse me laissait entendre qu'elle avait depuis l'enfance des fantaisies qui se rapportaient à l'eau, au plaisir de la voir jaillir, de l'arroser, de la répandre et attendait l'être assez disponible, affectueux qui lui permettrait de commettre ces rêves. Elle me disait vouloir donner à ses songes les contenus les plus fous et prétendait qu'un volcan somnolait sous son apparence paisible. Je n'avais guère prêté attention à ces remarques.

Il faut dire qu'alors nous étions fous l'un de l'autre, et ne manquions pas une occasion de nous le prouver. Nous rivalisions d'audace, chacun traçant de soi un portrait formidable qui n'était que la juste hauteur où nous voulions placer nos sentiments. A toute heure du jour, dès qu'elle avait cinq minutes, Rebecca se précipitait chez moi — je venais avec un groupe de docteurs d'ouvrir dans mon immeuble un cabinet où j'assurais les consultations de maladies tropicales. Elle avait des mouvements de désir dans ses jupes blanches, il s'échappait d'elle une tiédeur parfumée. Je prétextais une urgence et nous nous étreignions là sur le sol ou la table de consultation, chaude encore de l'empreinte du dernier patient, comme deux déments à qui le temps est compté et qui n'auront pas assez de chaque seconde pour se rassasier l'un de l'autre. Le péché mignon de Rebecca était de venir incroyablement fournie, chamarrée en ses dessous, portant par coquetterie deux ou trois jupons qu'elle nommait le modeste, le fripon, le secret, encadrés d'un système compliqué de jarretelles avec une foule d'obstacles en dentelles, parfois deux culottes ouvragées se superposant, préservant le mystère qu'elle voulait absolu, puis soudain ménageant des conduits à travers ses lingeries intimes, écartant portes et pertuis, elle me livrait passage vers ses Lieux Saints tout en restant vêtue, digne et honorable. La voir m'était miracle; en cette femme, les siècles se mêlaient : putain, mère, épouse, muse, lolita, enfant, elle jonglait avec les rôles de la féminité et, dans mon adoration, je la vénérais comme un atome rayonnant d'humanité.

C'est au sein de cette plénitude qu'éclata cette fièvre qui devait reléguer la première dans les limbes. Nos écarts commencèrent un soir d'hiver dans une chambre d'hôtel à Londres où nous passions le week-end. Nous regardions la télévision. Pardonnez le prosaïsme, l'époque est ainsi : on passait un de ces programmes inodores mais captivants qui font le charme maudit de cette invention, sans nous douter un instant que nous allions bientôt détourner cette paisible contemplation. Clignant des yeux, alourdi par un repas consistant, j'étais près de sommeiller à même le sol tandis que Rebecca, assise obliquement devant le poste, vêtue d'un simple tee-shirt mauve était nue du nombril aux doigts de pied. Soudain, alors qu'elle se tortillait déjà depuis quelques minutes, elle écarta les jambes et lança contre l'écran un petit jet comme pour éteindre son verbiage animé. Cet abandon m'électrisa. Ce fut un détonateur dont la secousse retentit en moi sans fin. D'un coup, je fus désengourdi. Je m'approchai d'elle et sans un mot m'allongeai sur le sol. Nous nous regardions par un de ces regards lourds d'orage qui déterminent des actes essentiels. Elle-même, comme si ce rôle lui était familier depuis toujours, s'accroupit au-dessus de mon thorax, retroussa son tee-shirt jusqu'aux seins et par coulées brèves mais violentes abandonna ses eaux sur mon corps. Elle m'inonda entière-

78

ment, me tenant la tête serrée entre ses genoux, m'obligeant à boire ses bontés liquides à longs traits jusqu'à satiété. Je crains de ne pouvoir rendre l'émotion qui me prit alors : ce fut une commotion, un ébranlement de tous mes nerfs, un coup dans mon cerveau. Je n'avais pas connu jusque-là de jouissance plus sublime : cette cataracte d'or qui coulait drue, impitoyable, me fouettait la peau, bouchait mes narines, brûlait mes yeux, m'enveloppait sous une nappe chaude où je baignais, souillé, meurtri, plein de cet élément qui laisse dans le palais la saveur aigre de l'échalote.

Toutes les espèces d'eau participent à notre sanctification, une fois Dieu invoqué sur elles. Mais l'urine de Rebecca était précieuse à plus d'un titre ; miel d'or et d'azur, lumière vivace et rayonnante, elle composait une épée de feu qui me fouillait de sa lame brûlante, un astre fluide et filant qui me clouait au bout de sa comète. C'était un ruisselet ironique, une cascade à la gaieté bruyante, un gazouillis puéril, un glouglou de folles liqueurs qui vivaient, chantaient, respiraient. Dans cette fontaine, je croyais entendre un enfant babiller, un galopin qui m'invitait à bruisser de concert avec lui. S'oubliant sur moi, Rebecca se dotait d'un pénis éphémère et vigoureux qui clamait sa puissance avant de mourir et de renaître. Née de sa chair, cette corde blonde en était l'âme palpable, et m'enserrait sous sa pluie comme une caverne utérine. Cette manne laiteuse me lavait de mes fautes, m'accouchait une seconde fois, c'était mon Gange, mon Nil intime où je me dépouillais des atteintes de l'âge, défiais la mort et la décrépitude. Issue de l'admirable ceinture féminine, elle en rapportait l'humidité d'une mer archaïque, le précieux mucus, l'élément universel de la vie. Si j'ajoute enfin que son courant l'innocentait de toute impureté, vous comprendrez les sentiments pleins de délices qui me saisirent lors de cette aspersion magique.

Aussi, cette première fois inaugura-t-elle une longue série de jaillissements miraculeux. J'avais attrapé les vices

79

de Rebecca comme on attrape une maladie par contagion d'amour, tant l'autre, dès qu'on l'idolâtre, vous inocule jusqu'à ses goûts les plus intimes. Elle forgeait de toutes pièces sur ma peau ces penchants dont je n'avais aucun soupçon, libérait en moi des pulsions inconnues. Nécrophile ou fétichiste, Rebecca m'aurait contaminé pareillement, princesse tentatrice venant réveiller des forces qui sans elle auraient dormi pour l'éternité. Déjà elle enflammait mon imagination avec d'autres folies qu'elle suggérait à mi-mot et dont les allusions suffisaient à me mettre hors de moi. Elle-même, fortement commotionnée par cette expérience dont la densité avait dépassé son fantasme, brûlait d'aller au-delà. Engagés dans le règne de la fantaisie pure, nous ne pouvions en toute logique que verser dans l'extrémisme.

Et pour cause : nous avions une conception trop sainte de l'amour pour nous contenter d'attitudes aussi courantes que le coït, la sodomie ou la fellation. La perversion n'est pas la forme bestiale de l'érotisme mais sa part civilisée; copuler est digne de la bête, seule la déviance est humaine qui impose une mesure à la barbarie des organes, et construit un art complexe enté sur une nature simpliste. Il y a de l'artiste chez les pervers, un artiste qui partage son lot avec un prêtre dans une même ferveur pour l'artifice.

Bref, avec le temps naquit la fierté; tout nous distinguait des autres couples, nous n'étions pas des amants ordinaires. Nous avions élargi le sens du mot débauche : cela nous rendit à la fois distants et vaniteux. J'avais ce rêve de midinette : vivre une passion d'où je ne reviendrais pas. Enfin, me disais-je, je vais connaître un érotisme inspiré loin de la stupide bête à deux dos : je voulais acquérir des vices durables, aussi spontanés que le rythme cardiaque et qui demanderaient à être acquittés sans délai. Maintenant, tout se faisait sous la dictée de Rebecca, et j'admirais chez elle cette aptitude à l'invention qui dépassait la mienne de cent coudées. Désormais, il me semblait donner ma vie comme enjeu chaque fois que je me prêtais à l'accouplement. Rebecca me laissait beaucoup espérer, cédant moins, marchandage qui m'exaspérait. Si les préliminaires étaient esquivés, si je la pénétrais simplement à la manière des crétins, j'avais un sentiment d'incomplétude que j'assimilais à une punition. Il s'agissait pour moi d'un dressage subtil : j'appris à différer le plus longtemps possible, et l'excitation finit par me tenir lieu d'assouvissement. Grâce à quoi nos étreintes se suivaient sans se ressembler. Chaque douche d'or était précédée d'une sévère correction : ne croyez pas que nous versions dans le masochisme : mais on ne peut éveiller une fantaisie sans secouer toutes les autres, tellement cette broussaille passionnelle est enchevêtrée par les branches, les tiges, les troncs et les ramures. Nos jeux réquisitionnaient à titre d'allié un semblant de masochisme qui leur servait de rampe de lancement. Bien sûr, j'avais toujours considéré comme le bonheur suprême la possibilité d'être corps et âme l'esclave d'une femme belle et fière, goûtant un rapport indéniable entre la volupté et l'humiliation. Je voulais cette femme dure et prétentieuse, habituée à recevoir comme un tribut tout ce qui lui était dû. Je prétendais dans l'étreinte et dans l'étreinte seulement racheter les fautes de l'espèce virile, réparer les injustices qu'elle fait endurer aux femmes depuis toujours. Je courbais la tête également devant une culture que mes ancêtres avaient voulu réduire à merci, je me prosternais devant le judaïsme génocidé, l'Islam colonisé, je réunissais deux souffrances dans une seule personne, et cette concentration m'était plus précieuse que tout.

Soutenant cela, je prête le flanc aux moqueries : pourtant la douleur me permettait de trouver une place, moi qui ne me sentais nulle part. Aujourd'hui, bien sûr, derrière ces bonnes raisons, je subodore une culpabilité de théâtre, une tartufferie de pur orgueil; mais à l'époque, je célébrais nos saturnales avec délectation, quêtant de cette femme un traitement d'autant plus brutal que je lui concédais un pouvoir éphémère qui cessait dès que nous étions désenlacés. Dans ce compromis, ma conscience trouvait à se satisfaire sans se mettre en péril. Je gagnais sur tous les tableaux, j'étais le crucifié au lit, le tyran domestique ailleurs et vivais ma fraude voluptueuse sur le mode d'une passion authentique. Rebecca s'en délectait plus encore, trop heureuse peut-être de prendre dans l'amour une revanche sur la vie. La sévérité d'un cérémonial inflexible réglait tous nos ébats : d'abord nous nous grisions de haschisch ou d'herbe, buvions abondamment, et mettions à haut volume de la musique arabe. Rebecca portait des talons hauts car je désirais ses pieds chaussés de talons aiguille dont le mot dit si bien la piqûre, la persécution ; parée de tous les bibelots d'or et d'argent qu'elle portait aux oreilles, aux jambes, aux bras, sur la gorge et jusque sur le ventre, les paupières fardées, les cils battants rehaussant son impassible visage d'idole, sophistiquée, précieuse, sévère ; juste couverte d'un petit triangle d'or, elle me faisait tourner autour d'elle m'obligeant à roucouler comme un pigeon, à caqueter comme une poule. Je la priais de se servir de moi comme d'un tabouret, d'une carpette, j'étais sous son joug, elle me frappait, me griffait, me ligotait les mains dans le dos.

Je sinuais sur le tapis, sur le carrelage glacé de la cuisine, de la salle de bains, tirant la langue comme un chien, et je me dressais à genoux jusqu'à sa fourche. La situation insufflait à ses muscles un magnétisme qui me clouait de stupeur : voyant son ventre gonflé, arrondi comme un sein, cuirasse dense et palpitante, prête à briser ses digues, je n'étais plus qu'une plante aspirant à l'eau du ciel. Alors, elle m'ordonnait de la lécher, puis quand je n'attendais plus rien, saisissait mes cheveux à deux mains, reculait ma tête et s'exonérait sur moi, durement, sauvagement, m'obligeant à la boire comme à la gourde jusqu'à plus soif. Cette pluie était le carburant érotique qui nous aidait à prendre feu. Prisonnier de cette membrane liquide qui ne laissait aucune fente pour la vue, l'ouïe ou la bouche, coupé du monde par ce rideau chaud, je suffoquais, m'étranglais, ne sachant plus si j'étreignais une femme ou un dieu, perdant la preuve de moi-même, oubliant mes limites, pantelant d'adoration pour l'officiante qui accomplissait sur moi ce rituel sacré. Ce déploiement urinaire figurait une fête de lumière, un miroitement qui métamorphosait en bulles pétillantes, en cascades de phosphore. Et quand j'étais inondé par ce bain brûlant, nous nous frottions l'un à l'autre, nos peaux humides glissant comme le cuir humide de deux poissons qui se caressent au fond des mers, nous nous abîmions dans l'universel océan de sa féminité. Puis ma très gracieuse déesse se plantait sur moi et quêtait la jouissance comme un ciel chargé quête la foudre qui va le crever, c'étaient des convulsions sans fin, une série de coups de tonnerre qu'elle réclamait à hauts cris en me suppliant de bouger. Quant à moi, je défaillais de bonheur et, au paroxysme de la félicité, rêvais d'être foudroyé dans l'extase.

Ainsi, buvant les sécrétions de mon héroïne, suçant sa verge d'or, je me liais d'amitié avec sa nature luxueuse, elle la porteuse d'eaux dont je me plaisais à imaginer le corps parsemé d'étangs, de poches aquatiques, de bassins de décantation. La source de Rebecca jouissait d'un micro-climat subtropical où les moussons n'avaient pas de fin. Cette abondance des précipitations expliquait la proliféra-tion des grandes herbes folles qui poussaient alentour. Il faut à la peau, avant de s'adoucir à l'extrême, la preuve de son contraire : un tapis rugueux entoure la tendre muqueuse, la nature a créé là, par souci de poésie, un pur contraste, propre à égarer les mains braconnières ou indé-licates. Le mystère de la miction se confondait pour moi avec le mystère météorologique de la pluie et des cours d'eau. Mon imagination faisait monter jusqu'au niveau

83

cosmique ces pauvres incidents de ma vie privée, je participais d'un rythme universel qui m'arrachait à la solitude. C'est ainsi que, par dévotion, je devins le climatologue des liqueurs intimes de Rebecca. L'alcool, les nourritures riches altéraient leur goût et leur odeur. Chaque émission était pour moi l'occasion d'un plaisir et d'un savoir. Je lui faisais boire du thé au jasmin, à l'orange, à l'abricot, le plus parfumé, le plus diurétique, je tissais des correspondances entre le sucre particulier de chaque fruit et sa dilution dans un fort courant, puis j'allais goûter à la fontaine les mélanges, les modifications que le corps avait fait subir à ce breuvage. A ma manière, j'étais devenu goûteur d'eau comme il en existe encore quelques-uns à Istanbul : une crise de foie dégageait une saveur spéciale d'acétone, une anxiété bouleversait l'arôme, une fièvre l'infectait, les grandes marches accéléraient le débit. J'en vins à pouvoir prédire ses maladies par simple lapage de quelques gouttes quotidiennes. Et puis, quand Rebecca se soulageait dans la nature, j'admirais la beauté de cette femme accroupie dont les lèvres embrassaient le sol au point qu'on ne savait plus qui, de la terre ou du ventre, envoyait à l'autre son geyser. Bref, les éclaboussures amicales de Rebecca mobilisaient en moi les trois personnages de l'amant, de l'enfant et du savant.

Mais bientôt, il m'en fallut plus : il me sembla que l'amour pour les conduits secrets de la femme devait s'étendre jusqu'aux produits qu'ils émettent; là où nous dissocions il faut assembler par une chaîne de sympathies successives. En vertu de ce principe, nous franchîmes une étape nouvelle dans nos dévergondages. Pour parler en termes médicaux, j'étais déjà ondiniste, je devins scatophile. Depuis longtemps Rebecca, qui voulait me réconcilier avec ses déjections, me reprochait d'aduler sa vulve et de négliger son voisin de palier. J'admis ce favoritisme abusif et consentis démocratiquement à son extension. Voici comment ma tendre amie m'habitua à communier avec elle sous les espèces solides et liquides : d'abord, elle me fit sentir et palper ses étrons quand elle allait à la selle. Elle les déposait sur une assiette et me les faisait respirer, me familiarisant avec leur compagnie. Puis, progressivement, elle exigea que je vienne l'essuyer de ma langue après émission, jugeant avec bon sens que la présence de l'orifice aurait raison de mes hésitations. Quand elle estima mes préventions — qu'elle nommait des préjugés — en partie surmontées, elle se décida pour une initiation totale. Moi-même, de peur d'être révulsé, je la priais d'en finir une bonne fois pour toutes et de m'affranchir, l'avertissant que je ne sympathiserais avec ses pollutions que dans un état de grande euphorie sensuelle. Au jour et à l'heure dits, Rebecca, qui avait tout organisé, m'attacha pour que je ne sois pas tenté de fuir, me grisa de drogue et d'alcool, s'habilla de ses parures les plus envoûtantes, les cheveux tirés en arrière enchâssant sa tête comme une coupe de satin, et me caressa longtemps pour me détendre. Puis, me tournant le dos, elle se plaça à croupetons sur moi, son postérieur suspendu au-dessus de ma tête, menaçant de m'écraser, une légère pièce de lingerie n'en découvrant que la fente : je la suppliais de me battre, de me déchirer afin que l'excitation tienne en échec ma répulsion, je lui demandais une mise en scène sauvage, grandiose qui me sauve de l'horreur, d'une envie panique de m'esquiver. Rebecca me préparait verbalement à la communion accompagnant chaque effort d'une parole, commentant chaque mouvement de ses viscères. « Mange, murmurait-elle, je suis ronde et luisante, régale-toi de mes boyaux, déguste-moi lentement, mange la boue que tu seras un jour, mange ton futur cadavre. » J'étais en transes comme en face de la mort, sur une lame de rasoir, prêt à basculer dans l'épouvante ou l'extase, conscient d'accomplir une expérience capitale. Je devais avoir des yeux d'halluciné ; par ces orifices d'où me venait tout un monde d'outrances, je sentais la proximité d'appétits monstrueux, un appel obscur *vers les matières enfouies sous le cuir chaud, et je crois que machinalement j'ouvrais la bouche et salivais. Si des relents d'aversion refluaient à mon cerveau, je les chassais en pensant aux fleurs noires qui s'épanouissaient dans les intestins de ma maîtresse, à toute cette nuit dont elle allait me gratifier en de fabuleux bouquets. Il y eut quelque chose d'effrayant quand l'œil aveugle de son cul s'ouvrit démesurément et que les deux fessiers s'écartelèrent dans un effort terrible pour vomir soudain, telle une flèche molle, un étron gigantesque. Un instant, j'eus le sentiment, comique à vrai dire, que son derrière me tirait la langue, qu'un petit bonhomme me faisait un pied de nez, puis la chose me tomba sur le menton avec un bruit mat et flasque. Je portai à mes lèvres un fragment de ce fromage d'immondices qui s'égouttait dans mon cou, c'était chaud, visqueux, infâme, j'étais écœuré mais sauvé, j'avais franchi le pas, surmonté ma peur, je m'étais colleté à cette morve noirâtre et puante.*

Ici, j'arrêtai l'infirme, j'en avais déjà trop entendu, je n'étais pas dans l'humeur de tolérer ses divagations ordurières. C'était moins le sujet qui me révoltait que la chaleur dont il l'enveloppait. Il n'avait pas le droit de parler de ces choses répugnantes avec la ferveur quasi religieuse d'un fidèle pour son Dieu. Je me levai, les bras ballants, essayant d'émerger de cette boue, mais les mains de Franz, ces crabes aux pinces acérées, m'avaient déjà encerclé et, avec cette autorité qui m'impressionnait, il me dit :

— Ne jouez pas à la prude. Je ne cherche qu'à vous communiquer un engouement, qu'à vous faire part d'une illumination. Maigre excuse, je sais, mais en comparaison des monstruosités de l'histoire, que pèsent nos turpitudes ? Vous m'en voulez parce que je mets à nu un raffinement que vos sens grossiers ne perçoivent pas ; je multiplie les voies d'approche vers l'amour au lieu des deux ou trois biais que les mœurs et les convenances autorisent. Oh! je me doute qu'avec Béatrice vos culbutes doivent être convenables et hygiéniques...

— De quel droit nous jugez-vous? Au moins, nous avons la pudeur de ne pas étaler nos ébats en public.

— De la pudeur? Dites plutôt que vous les cachez parce qu'il n'y a rien à en dire tellement ils sont conformes. Réfléchissez bien, dépassez les apparences.

Rien n'était moins libertin que mes jeux avec Rebecca; nous n'y tombions que par défi : chacun crânait avec la frousse intense que l'autre ne le prît au sérieux et n'aille au-delà; et quand l'autre avait mordu à l'hameçon, la mise était replacée sur le tapis avec l'espérance qu'il n'y aurait pas de surenchère. Nous nous mesurions par des joutes sensuelles comme d'autres se provoquent par l'exercice physique ou la poésie. Cette pensée est-elle digestible pour votre estomac de pédagogue? S'il vous plaît, ne m'interrompez plus, j'en aurai d'ailleurs bientôt fini.

Pour moi, le plus stupéfiant dans cette expérience avait été la métamorphose de l'anus. Vous connaissez sa pudicité chez les femmes contrastant avec la luxuriance du sexe. C'est une rose minuscule, secrète, mais qui se boursoufle à la moindre poussée, devient poisson rouge qui bâille dans un bocal. Il y a dans cet anneau tout le mystère poétique de la disproportion qui est celui du conte oriental du chameau passant par le chas d'une aiguille. Et puis cet aspect obstiné, têtu, désespérément fataliste de la crotte qui pend et sait qu'elle doit tomber, qu'il ne lui est pas donné de voler parce qu'elle n'est pas une colombe mais une ténèbre consistante vouée à la chute. Bref, à partir de ce jour, je devins le pot de chambre de Rebecca, ses latrines, son tout-à-l'égout, son sol d'épandage, ses sentines, sa tinette : au moindre besoin, elle déversait dans ma bouche l'abondance de ses entrailles bien nourries. Souffleté par ses mains, éventé par ses pets, arrosé de ses pluies, engraissé par ses déjections, je devins le gardien de son entrejambe, l'observateur bienveillant de ses entrailles. Comme les excrétions de Mahomet selon le Coran, celles de Rebecca étaient parfumées, pas deux ne dégageait le même fumet selon ce qu'elle avait mangé la veille et la durée du transit. Et puis chacun laisse un peu de son âme, de ses humeurs dans ses crottes : à chaque exonération, je goûtais le sombre travail de la machinerie organique, je soupesais, évaluais les beaux lingots de chocolat qu'elle avait pondus. La regardant manger, je pensais avec des frissons à toutes ces délicatesses savoureuses qui allaient devenir quelque part entre l'estomac et le grand colon un train d'ordures nauséabondes et hideuses. Souvent, si nous ne pouvions nous voir que le soir, elle pensait à ne pas faire, trop sentimentale pour me priver, gardant ses trésors à l'intérieur de sa belle caverne, verrouillant son four velu, qu'elle déversait avec gourmandise dès qu'elle arrivait. C'était pour moi une joie sans mélange que de lui servir de torche-cul, je me pourléchais de ce cloaque, mes lèvres fêtaient l'écume de son puits noir et ces âpres baisers étaient forts comme du vin.

Je vous vois pâlir de dégoût. Comprenez-moi pourtant : on n'aime rien si l'on n'aime pas tout; et ces divines cochonneries je les accomplissais par amour, parce que le corps de Rebecca avait pour moi la densité d'un joyau; tout ce qui venait d'elle était marqué au coin du sacré, j'aimais cette prose enténébrée parce que j'aimais son auteur. En vouant un culte à ses basses matières, je les transfigurais; dans un décor de voirie je devenais angélique à force de faire la bête. Notre admission au cercle des ardents réclamait le parrainage des plus hautes instances : je devinais le Ciel et l'Enfer assister haletants aux moindres soubresauts de notre chute et lui garantir la ferveur d'une élévation. Et plus je me délectais de la surface, plus je désirais rendre mes hommages à l'intérieur, agripper les racines; embrasser le foie, les viscères, le sang, la lymphe afin que

*pas un tressaillement de cet organisme n'échappe à ma
dévotion scrupuleuse. Cette pratique avait le charme des
porte-plume de notre enfance : on colle son œil à un pertuis
minuscule pour mieux voir se déployer tout un panorama.
Collant ma bouche au cratère de Rebecca, je devenais
témoin des mystères de son dedans, je vivais de la vie de
ses parois ventrales, de son tissu musculaire, de ses battements de cœur. Nous avions des amours qui sentaient le
fumier, mais de ce fumier nous faisions des enchante-
ments. Le plus bas montrait d'intimes rapports avec le plus
élevé, ce qui aurait dû me déplaire m'était suave, le dégoût
me galvanisait, un sens supérieur à tous les autres trans-
cendait ma répulsion. Les cinq barrières entrouvertes et
cadenassées qu'on appelle les cinq sens, je les secouais de
toutes mes forces, je renversais les frontières qui empri-
sonnent le système nerveux. Il y avait aussi de l'orgueil
dans mon appétit. Rien de plus vertigineux que de triompher d'un dégoût : on obtient un surcroît de puissance, on
se dote de nouvelles antennes, on recule les limites de son
corps. Qu'est-ce que la répulsion, sinon une suite d'injures
adressées à la matière ? La victoire sur cet écœurement est
toujours la charnière d'une ambivalence. « Merde, semble-
t-on lui dire, tu ne m'intimideras plus, je te domestiquerai,
j'étendrai mon pouvoir sur toi. » C'est une provocation
cannibale, on avale ce qui vous répugne pour ne plus avoir
à le redouter.*

*Rebecca, quant à elle, était flattée de mon empressement
à recueillir les perfections successives de son individualité.
Et puis, m'enveloppant de sa lave intestinale, m'en capara-
çonnant de la tête aux pieds, je devenais l'enfant qu'elle
venait d'expulser de son ventre et qui vagissait encore tout
souillé de placenta. Moi, je m'habituais à cette caresse
pâteuse, à ce limon qui s'insinuait en moi, déchets bien-
aimés qui me délivraient de la bassesse de mon extraction
en m'y précipitant. Notre corps s'était balkanisé, avait
donné congé aux érotismes périphériques tel un empire qui*

se démembre à la mort de son Napoléon et dont les provinces se décrètent royaume. Nous étions de ces couples « modernes » qui partent à l'assaut de la vieille perversion médicale pour pimenter l'ordinaire et versent dans l'expérience par goût de l'inconnu. A l'époque, je me répétais naïvement en prenant la pose : quiconque n'a pas bu, n'a pas mangé jusqu'à l'ivresse sa bien-aimée, plié son corps à ses fantaisies les plus inavouables, celui-là n'a jamais aimé d'amour. Et j'étais fier d'appartenir à cette caste d'élus qui croyaient avoir connu l'enfer et l'appelaient la passion.

Qu'y pouvions-nous? Nous n'avions ni repères ni modèles. En l'absence de tout art d'aimer en Occident, l'acte amoureux devient la somme de toutes les façons licites ou illicites de s'étreindre. Puisqu'en amour rien n'est sale, comme disent les bonnes âmes, le principe de nouveauté remplaçait pour nous le principe de plaisir. Apparemment bons citoyens, tandem épris mais, dans le secret de l'alcôve, rebelles, affranchis, outlaws bouleversant les conventions, défiant l'ordre établi. Envers nos amis, nous pratiquions ainsi l'ambiguïté systématique : sans rien leur dévoiler de nos coutumes intimes, nous leur laissions entendre qu'elles n'étaient pas sans originalité. Quand ils demandaient des détails, nous nous regardions Rebecca et moi avec un air de commisération et nous retranchions derrière l'obligation de pudeur. Partagés entre l'envie de parader et la peur de décevoir, nous restions allusifs. D'autres naturellement ont mené plus loin que nous cette exploration et n'ont pas hésité devant les pires extrémités. A côté des pervers professionnels, nous n'étions que des gnomes bredouillants. Pourtant, du haut de ces jouissances fragmentaires, nous méprisions les amants simples engoncés dans leur volupté mécanique. Nous ne nous sentions pas laids de cette laideur paillarde qui est la grimace du puritain au plaisir mais différents : en avance sur l'époque, proches du sublime. Quelque chose d'héroïque en moi disait : admettre le bas, l'obscène, le vulgaire est l'unique moyen d'éviter l'obscénité véritable qui est l'ignorance de l'ordure, l'attitude des belles âmes. Nous avions atteint une cime d'où les humbles joies de la vallée nous révulsaient. En nous excluant du commun, nos anomalies nous grandissaient, confirmaient le caractère exceptionnel de notre attachement.

Que croyez-vous, par exemple, que nous faisions après avoir goûté jusqu'à la folie nos intimités indigestes? Je vous le donne en mille : un gros câlin. Nous nous pressions l'un contre l'autre et palpitions doucement dans une chaude quiétude, pesant à peine, frissonnant parfois d'un baiser, nous berçant dans une dilatation lumineuse de notre être. Chaque membre était un halo de chaleur spécifique, l'épaule, les hanches, les bras avaient leur température propre qui se communiquait à la peau. Ces enlacements mettaient dans nos ébats des pauses de silence, un calme d'eaux dormantes où nous retrouvions nos forces. Puis l'émotion se tempérant, le sang retrouvant son flux, nous nous engourdissions, laissant nos haleines dialoguer au rythme apaisé de la respiration. Le lendemain, nous remémorant la soirée, nous étions pris de fou rire : nous répétions les mots follement décevants de la jouissance; ces phrases balbutiées dans les halètements, nous les redisions à froid sur un ton de comédie. Linguistes du vice grotesque, nous nous moquions l'un de l'autre, moi de ses cris à réveiller un mort, elle de mes plaintes de pigeon enroué. Ainsi, clowns de volupté, nous revivions par nos facéties afin de mieux l'exorciser le grand tourment qui nous avait la veille fait frôler des abîmes. Car un risque guette les amateurs de bizarreries sexuelles : cultiver l'aspect maudit, prince des ténèbres, ange noir, alors qu'au plus profond de l'abjection subsiste une allure méticuleuse, ordonnée, un côté femme de chambre, vieux garçon qui époussette ses meubles. La perversion a besoin d'ordre, et cet ordre lui interdit de prendre la pose du grand chambardement.

91

Bref, bien loin d'être rongés par ce libertinage, nous avions élu domicile en lui comme d'autres dans la cuisine. Nous gazouillions dans le stupre, nous nous aimions douillettement enclos dans le cercle de nos fantaisies. Nous voulions absolument apprendre les plus basses rubriques de la corruption mais sans en être dupes. Alors que toutes les amours tendent à l'équilibre aussi irrémédiablement qu'un mélange d'eau chaude et d'eau froide donne de l'eau tiède, nous avions mis dans le nôtre une force antagoniste, un principe de complication qui drainait les énergies éparses et les reversait dans le circuit passionnel. Nous voulions protéger notre histoire de la disgrâce d'être intelligible et simple. Nous nous jetions dans l'intempérance avec une franchise énergique, bravant nos dégoûts, mettant une sorte d'orgueil à les braver. Inutile de dramatiser nos inconduites : nous ne cessions par tous les moyens de nous donner les preuves d'une passion réciproque et croissante. Notre ascension vers les degrés les plus élaborés de la joie sensuelle ne traduisait-elle pas le fameux adage : un peu plus qu'hier, un peu moins que demain ?

Ces temps de folie et de fièvre ardente se poursuivirent près de huit mois durant lesquels nous n'eûmes qu'une pensée en tête, qu'un objectif, qu'un seul sujet de conversation. Ces penchants avaient changé la couleur de ma vie : je ne pouvais faire un pas, rencontrer quelqu'un, prescrire une ordonnance, lire une revue sans qu'une association d'idées me ramène aux délices somptueuses où je sombrais avec Rebecca. De ces extrémités, je ne pouvais revenir aux régions moyennes de la vie, je devais m'enfoncer, donc poursuivre. Et moi qui dans ma spécialité maniais à longueur de jour des analyses de selles contaminées ou d'urines souillées, je n'avais qu'une pensée en tête, me plonger le soir dans les adorables excrétions de ma maîtresse, reprendre, comme elle le disait, nos séances de bouche à bouse. Ma chambre, dont je fermais l'accès aux amis, était devenue un arsenal de sex-shop, jonchée de pénis artificiels, de poires à lavements, de clystères, de martinets, de guépières de cuir, de menottes, de culottes effrangées, d'anneaux à crêtes ou à pois, véritable pièce de torture moyenâgeuse où ne manquait que l'ombre déchirée du Christ sur sa croix. Lorsque mon fils venait une fois par semaine pour sa visite hebdomadaire, nous rangions tout dans un placard fermé à clef et nous abstenions. Le reste du temps, mon aimable tortionnaire laissait éclater tous ses instincts de femme nerveuse avec une violence inouïe : le sang de ses parents, ce sang arabe qui brûlait dans ses veines, se mettait à couler, à battre furieusement dans son corps. Elle incarnait une vitalité brutale dont j'étais dépourvu et qui me jetait de longs frissons de la tête aux pieds. Je quêtais ses embrassements avec une obstination d'animal affamé, elle me lançait des éclaboussures de feu dans la peau; s'offrant à moi inaltérable et altière, fascinant toutes mes aspirations à vivre plus haut que dans le calme des sens rassasiés. J'aimais particulièrement après l'amour son visage fatigué, enveloppé de rosée comme un beau fruit. La fatigue gonflait et attendrissait ses traits, et sur ces masses rondes et lisses se lisait le plaisir enfantin et profond d'être allée aussi loin et d'en être revenue intacte, heureuse, soulagée.

Nos mauvaises habitudes nous poussèrent à inventer toutes sortes de petits libertinages indécents. Par exemple, il arrivait que la nuit Rebecca urinât contre ma jambe et que je me réveille trempé, dans le froid, entendant son petit rire sous les draps, me grondant d'avoir fait pipi au lit comme un bébé. Ou bien, dans une soirée, elle m'entraînait aux toilettes, me poussait la tête sous ses jambes, se soulageait dessus et sans me laisser le temps de m'essuyer me ramenait en pleine lumière, mes cheveux collés, mon visage moite, et me reniflait avec dégoût devant tous. Quand nous étions seuls à la campagne et qu'une envie subite la prenait, elle épandait sur mon front une petite averse de printemps, et je regardais avec ravissement les gouttes limpides et cristallines trembler comme des perles aux cils adorables de son sexe. Une autre fois, en train de nuit, nous nous rendions à Venise par le Simplon-Express, elle m'obligea en gare de Domodossola à passer sous le wagon, à boire par le tuyau d'évacuation des waters l'onde qu'elle était en train d'émettre plus haut. Malgré les ténèbres et les quais déserts, je craignais à chaque instant d'être surpris par un cheminot, voire écrasé par une manœuvre du convoi, et jamais la peur ne se mêla en moi aussi étroitement à la jouissance. Ou encore, nous mélangions des aliments, des liqueurs aux orifices de mon amante, son sexe devenait la table sur laquelle je me délectais. Confirmant la nature cannibale de mon désir pour Rebecca, recettes d'amour et recettes de cuisine tendaient à se confondre. Nous élaborions nous-mêmes nos propres menus, et il n'était pas un gâteau, pas une boisson, pas un plat, pas un gratin auquel une parcelle du splendide corps de ma chère maîtresse ne fût mêlée. Peut-être vous étonnerez-vous que pas une fois nous n'ayons interverti les rôles ; pour moi la froideur et la violence de Rebecca constituaient sa vertu cardinale. Que cet objet d'adoration me paie de retour et il eût perdu son prestige pour devenir un fardeau.

Nous aurions dû arrêter là : les amants devraient se séparer au plus fort de leur passion, se quitter par excès d'harmonie comme d'autres se suicident par excès de bonheur. Nous nous croyions au matin du monde, mais il fallait être sourd pour ne pas entendre le bruit du ressac qui indiquait la tombée de la nuit. Par la variété des fantasmes auxquels elle m'accoutumait, Rebecca avait mis en branle en moi le seul goût qui fût latent depuis l'enfance, le goût du nouveau pour le nouveau. D'elle, j'attendais toujours plus, exigeant qu'elle m'étonnât, me surprît par des pirouettes, des inventions éblouissantes. Elle me répondait alors, car elle usait d'un peu de défense pour attiser mon désir : « *Tu verras, ne sois pas pressé, j'ai dans la tête assez d'idées pour t'occuper pendant un siècle.* » Je raffolais de ces promesses qui me donnaient la chair de poule, enfiévraient mon imagination. Un jour pourtant, dans une intuition désagréable, je compris que j'avais tout vu. Rebecca avait épuisé son trésor, son imagination fourbue avait cessé d'enfanter des utopies sensuelles.

Le charme était rompu; nous avions tari nos ressources, fini l'exégèse de nos appétits inavouables. Notre vie amoureuse, après avoir été une somme d'émerveillements, devint une somme d'inquiétudes, et se mit à louvoyer entre l'angoisse et la fatigue, à la recherche du risque nécessaire à l'excitation. Ce n'est pas l'indignation mais le sourire que mes confidences devraient susciter chez vous. Quoi de plus comique qu'un jeune couple quêtant le superlatif du vice et constatant sa faillite ? Nous survivons à nos jouissances comme nous survivons aux saisons : ce simple fait devrait nous interdire de prendre l'outrance physique au sérieux. Nous ne courions aucun risque, c'est la faute du tiède encanaillement de notre temps qui a tout dédramatisé, nous privant par là même des moyens de ressentir longuement. Étrange époque : le plus difficile n'est pas d'y conjurer l'obscénité mais de la faire surgir. La tolérance a désamorcé les situations les plus crues, le sexe est un pauvre sacrilège qui n'a même plus les vertus du sacré. Ce n'est pas la déchéance qui menace le libertin moderne, c'est l'ennui.

En fait, j'étais trop sain pour ces extrémités : je croyais être passé de l'autre côté, je n'avais pas bougé. J'avais trop cherché le pittoresque, l'inattendu pour m'attacher réellement à chacun des épisodes qui avaient jalonné notre expérience. J'avais connu un été d'anarchisme sexuel, accumulé un capital d'émotions excentriques qui avaient caressé un moment ma sensibilité mais n'étaient pas descendues assez profondément pour s'inscrire dans les archives de ma peau. J'avais échoué à me transformer, je demeurais le petit-bourgeois qui, après le viatique d'un grand écart, revient à ses voluptés conventionnelles. Et j'en voulais encore plus à Rebecca de m'avoir laissé espérer une métamorphose et d'avoir failli. Nous avions vécu trop haut pour nos maigres tempéraments, et nous nous sentions confus comme ces pauvres qu'on invite un soir à un festin et qu'on renvoie ensuite à leur taudis. Et puis, rien n'est plus décourageant pour un individu que de découvrir la banalité de ses propres fantasmes ; quand nous apprîmes qu'à Londres, New York et Berlin existaient des clubs où l'on pratiquait à grande échelle ce que nous faisions à deux, je fus soudain lassé de nos coutumes : un boulevard ainsi couru n'était plus digne que j'y pose les pieds. Cette vie en vase clos, je dirais en vase de chambre clos, qui nous contraignait à nous couper du monde, cette vie casanière, pantouflarde parce que perverse, n'avait plus de sens. Encore si nous avions admis quelque société à nos ébats, cela nous eût divertis de notre tête-à-tête, mais Rebecca n'était pas disposée à introduire un tiers ou un couple entre nous. Plongés dans la dépravation, nous menions une existence de rentiers, fuyant tous rideaux tirés les aventures et les aléas. Mais le monde congédié reprenait ses droits : et plus nous nous enfermions, plus nous pouvions l'entendre frapper aux portes, chuchoter aux fenêtres, souffler dans les rideaux, nous inciter à sortir, à nous perdre en lui avant qu'il ne soit trop tard.

Saturé de volupté, d'opulence, j'achevais de détruire le sortilège. J'avais faim de bruit, d'animation, de foule, de vacarme. Bientôt, un climat d'irritation sourde s'établit entre Rebecca et moi : je tiédissais, mon caractère volage, un instant étouffé par l'étourdissante personnalité de mon amie, remontait à la surface. Rebecca avait été pour moi ce que j'avais été pour elle : une sorte de choc brutal, un souffle de braise qui avait tout balayé. Cette énergie sauvage désormais vacante se retourna contre nous. Les orages, les fluides puissants que nous avions amassés n'allaient pas tarder à éclater en véritables tempêtes. Après avoir hissé ma maîtresse sur un piédestal, je l'en déboulonnais violemment à la recherche d'une nouvelle idole à adorer. Les moments de grande luxure, parce qu'ils réveillent des forces habituellement assoupies, peuvent se convertir aussitôt en cruauté. Et il y a toujours de la colère dans un dégrisement. J'en voulais à ma compagne de ne plus m'inspirer assez de passion, et je me pris à souhaiter qu'elle eût la pudeur de s'effacer. L'aimant moins, je la détestais presque, et comme la perversion avait été le moyen qu'avait pris notre haine, la perversion disparue se transforma en méchanceté.

Je découvris des failles en Rebecca : je remarquai par exemple que certaines plaisanteries, que d'autres supportaient sans chagrin ou faisaient cesser d'un haussement d'épaules, l'affectaient comme des injures graves dont le souvenir la torturait. Cette fille hautaine qui m'avait plié à tous ses caprices manquait de la plus élémentaire confiance en elle-même. J'en profitais sans vergogne, ne cessais de tourner en dérision tout ce que nous avions tenu auparavant pour sacré. Rebecca s'en froissait, fondait en larmes : nos bacchanales tournaient à la guerre. Que voulez-vous : on ne blesse bien que les êtres chers, il n'y a aucun plaisir à malmener des inconnus. Et puis tout ce que nous nommons civilisation repose sur l'approfondissement de la cruauté. La férocité prospère aujourd'hui dans les mots, se spiritualise en raison du discrédit porté sur la violence physique. Notre génération, qui tire orgueil d'avoir congédié la sauvagerie, l'a contrainte à revenir masquée. On ne dose plus sa force avec ses poings ou ses muscles, on l'affûte avec son esprit ou sa langue. Notre société y a gagné en raffinement mais elle n'a pas encore établi de châtiments pour la réparation des immenses dégâts commis par le persiflage et la calomnie. Ajoutez que tout est bon pour intimider l'autre, y compris les multiples idéologies de la libération qui ont fleuri sous nos climats depuis un siècle: c'est même l'un des charmes particuliers de notre époque que de pouvoir offenser les individus au nom de leur liberté. Inutile de vous préciser que Rebecca, au contraire de moi, n'avait pas l'habitude de ces joutes oratoires: s'il y a des enfants élevés dans le texte biblique ou la récitation du Talmud, d'autres nourris au lait de l'aventure, d'autres encore grandissant au sein de la nature ou d'un océan farouche, ma musique enfantine à moi, petit Parisien, avait été les cris et les scènes de mes parents entre eux et contre moi — j'étais fils unique —, les humiliations de mon père qui avaient enfoncé dans ma tête, tel un clou, l'idée persistante de mon infériorité. Une telle éducation fait des rejetons sournois, revanchards, pleins de ressentiment pour l'humanité entière. Votre serviteur en un mot. Cette anecdote pour vous expliquer la résurgence en moi de mauvaises tendances, une prédilection particulière pour les coups bas que la fraîcheur des commencements amoureux avait su contenir.

Un cycle s'achevait, et je sentais confusément qu'un autre devait le remplacer. Je m'étais rendu ma maîtresse redoutable pour mieux la trouver insignifiante ensuite. Admirer c'est déjà haïr, destituer par avance celui ou celle à qui l'on élève une statue: après huit mois de furia érotique, nous nous retrouvions étrangers l'un à l'autre, croyant nous connaître et n'ayant plus rien à nous dire. A notre nouvelle situation, Rebecca résista d'abord violemment avec toute la force d'une femme qui a perdu ses privilèges mais entend garder au moins sa dignité. Nous eûmes des querelles. La situation tournant à l'aigre, nous tentâmes de faire machine arrière et partîmes pour un voyage de plusieurs mois en Asie où je me fis détacher par l'Organisation mondiale de la santé. La variété des cultures et des personnes, la beauté des sites agirent comme panacée de nos malheurs conjugaux. Mais au retour tout recommença. Nos sentiments avaient cassé sous leur propre poids et je ne songeais plus qu'à prendre mes distances. Nos étreintes, je l'ai dit, s'étaient raréfiées ; les inconduites finies, je n'avais aucune envie de reprendre la copulation classique à la papa surtout avec une femme qui m'était familière jusqu'à la nausée. Quelle indécence peut rivaliser avec la fraîcheur d'un corps nouveau ? Rebecca avait dû le comprendre car elle me confia un jour : « Nous n'aurions jamais dû faire cela, tu es changé. » Je haussai les épaules, trouvant ridicule ce retour de pudeur, vestige d'une éducation rigoriste, mais je n'osais encore lui donner les vraies raisons de ma froideur. Devant ma désinvolture, parfois, il lui venait des suffocations de colère, des démangeaisons de m'étrangler, de m'abattre, de me faire avouer en me serrant la gorge tous les secrets de mon cœur.

Je me rappelle un épisode particulièrement frappant : il s'agit de notre deuxième grande dispute ; la première, je vous l'ai dit hier, ayant eu lieu à l'occasion d'un dîner. Par commodité je distinguerai les escarmouches quotidiennes des grands opéras de haine, plus rares, plus longs, plus éprouvants. A cette époque, donc, c'était au printemps, j'étais parti en voyage une semaine, invité à prendre la parole dans un congrès de parasitologie à Vienne. Rebecca, qui s'était installée chez moi, avait profité de ce laps de temps pour arranger coquettement mon deux-pièces parisien. Elle s'était plu à repeindre les murs et les portes, à tendre les fenêtres de rideaux clairs, à garnir tous les vases de fleurs éclatantes, à coudre une bonne vingtaine de coussins de satin qui formaient un tendre amas de rondeurs accueillantes au centre du salon. Elle m'avait acheté un nouveau poste de télévision en couleurs ainsi que deux belles lampes 1900 en style nouille et avait transformé cet antre de célibataire en nid de jeunes et fraîches amours. J'étais ravi de cette métamorphose, ému du geste, surtout quand Rebecca m'apprit qu'elle avait dépensé à cette rénovation les trois quarts de son salaire plus toutes ses économies.

Naturellement, au premier froissement que nous eûmes

ensemble, soit deux jours après mon retour, je ne manquai pas de critiquer âprement son initiative ; moquant son mauvais goût, un mauvais goût de coiffeuse, pointant les fautes d'accord entre les peintures et les meubles, l'accusant enfin d'avoir saccagé mon appartement, d'en avoir fait un luxe de crème fouettée, une tanière de cocotte. Je m'en souviens, nous étions dans un café, Rebecca pleurait, c'était la première fois que je l'attaquais sur son métier. Comme pour ajouter la muflerie à la méchanceté, je me levai, me disant excédé par ses larmes. Elle me rejoignit dans la rue, elle avait la figure crispée, et j'eus peur soudain de la violence qui serrait son visage. Sans me le formuler, je pressentais une catastrophe.

— Alors, tu n'aimes pas la décoration de cet appartement ?

Elle avait une voix sifflante comme suffoquée par l'indignation.

— Je n'ai rien dit de tel.

— Mais si, il est affreux, n'essaie pas de me ménager.

— Pourquoi me suis-tu ?

— Je vais réparer mes torts, tu vas voir.

J'ouvris la porte, vaguement inquiet : avant même que j'aie pu esquisser un geste, Rebecca s'était ruée à l'intérieur, avait saisi le poste et l'avait jeté dans la cage d'escalier. J'accourus, mais déjà l'appareil se disloquait sur les marches, vomissant ses boyaux de turbines et de fils, dans un innommable fracas qui réveilla tout l'immeuble.

— Tu es complètement folle ?

— Non, mon chéri, je te rends ton appartement comme il était.

D'un pas décidé, elle s'arma d'un couteau de cuisine et, méthodiquement, creva un par un tous les coussins qu'elle avait confectionnés, noyant le séjour sous une averse de peluche blanche. Paralysé par la puissance de cet ouragan, je restais immobile, habité peut-être par l'obscur sentiment de mériter cette correction. Je vous passe les détails de cette lamentable affaire; qu'il me suffise de vous dire que ce coin heureux et chaud fut mis à sac une demi-heure durant, une partie de mes livres déchirés, les accessoires érotiques jetés par la fenêtre, le papier peint lacéré, les deux lampes brisées sur mon épaule. Rebecca avait causé à elle seule autant de dégâts qu'une descente de police, et quand elle s'en alla, mon appartement dévasté n'était plus qu'un champ de ruines. J'étais anéanti, et je crois bien que je pleurais sur mon logement saccagé autant que sur nos amours compromises. Les voisins avaient dû tout entendre, ils toléraient déjà mal les cris d'amour de Rebecca la nuit, ma réputation dans l'immeuble était ruinée.

Deux heures plus tard, par une de ces inconséquences dont elle était familière, ma maîtresse en sanglots m'appelait pour s'excuser. Elle me suppliait de la laisser réparer les dégâts, s'offrait à tout nettoyer, dût-elle même y passer la nuit.

— Chasse-moi si tu veux, mais laisse-moi d'abord tout remettre en état.

J'acquiesçai. Elle s'activa pelle et balai à la main. Moi, juché sur un tabouret, je lui donnais des ordres, me régalais de cette reddition, l'accablais de sarcasmes, de reproches, chipotant sur le travail mal fait, la soumettant à l'arbitraire de mes moindres caprices. Cette idiote qui avait cru m'intimider rampait maintenant devant moi. Quand elle eut tout décrassé, plusieurs heures après, j'ouvris la porte et lui souhaitai le bonsoir.

— Tu veux que je parte?

— Je préfère.

— Je n'ai pas envie de partir.

— Ça vaut mieux: allez, va-t-en!

— Franz, je t'aime, je te demande pardon, j'ai eu tort. Je n'aime que toi, je ferais n'importe quoi pour toi.

— Je n'ai qu'une envie, c'est que tu déguerpisses.

Déjà les larmes l'étouffaient. Une minute après, elles

s'échappèrent de sa poitrine en une explosion de sanglots, de gémissements convulsifs et furieux. Elle tomba à genoux devant moi, me baisant les mains et les chaussures.

— Je t'aime, répétait-elle, je t'en supplie, garde-moi par pitié.

Elle serrait frénétiquement mes genoux dans ses bras, tandis qu'à coups de pied je la repoussais vers la porte, feignant une décision inébranlable. Je voulais voir jusqu'où peut aller une femme amoureuse en position d'infériorité ; dans ses prières, ses supplications, je puisais des sommes de vanité et me rengorgeais tel un pacha. Elle pleura encore longtemps, le visage enfoui dans la moquette par terre, les mains tremblantes, déchargeant une douleur sans fin.

J'attendis que la crise s'atténue et posai des conditions draconiennes à son retour : j'exigeais que nous nous voyions moins, qu'elle me laisse libre de courir à ma guise, cesse de fouiller mes affaires et mon courrier. Elle acquiesça d'un air accablé.

— Je suis capable de tout endurer pourvu seulement que tu sois un peu avec moi. Il me semble même que tu pourrais en aimer une autre, si cela se passait auprès de moi et que tu me tiennes au courant. Je te poursuivrais jusqu'au bout du monde même si tu me repoussais ou me chassais. Aucune souffrance venant de toi ne peut égaler la souffrance que me causerait ta perte.

J'écoutais ces mots, charmé, bêtement flatté, n'ayant jamais soupçonné que cette femme m'aimait avec une telle force de conviction. Je lui répondis :

— Tu ferais tout cela pour moi ? Tu as tort ; le drame, vois-tu, c'est que tu m'aimes trop, beaucoup trop. Parce que tu es inoccupée, que tu n'as pas un travail où t'investir. J'exige que tu m'aimes moins : ta passion m'encombre. Tu ne sais donc pas que l'amour fou est un mythe oppressif créé par les hommes pour asservir les femmes ?

102

Je jubilais : je jouais au féministe, j'écrasais Rebecca au nom de sa dignité, je me trouvais un certain talent de crapulerie éclairée. Un instant, j'eus peur : à l'idée que ce bonheur, ce sourire étaient à ma merci. Puis je chassai mes scrupules et une autre idée s'insinua en moi : je pouvais faire la pluie et le beau temps sur cet être qui avait placé son destin sous ma régence. Cette révélation fut terrible. Elle ne me quitta plus et décida de tout le cours ultérieur de notre liaison. Rebecca n'osa rien objecter. Le soir, elle afficha sur la porte extérieure, à l'intention des occupants de l'immeuble : « Ne vous inquiétez pas, ce n'était qu'une dispute. »

Elle me fit promettre de ne plus l'humilier et me jura de ne jamais plus s'emporter de la sorte. Bien sûr, je me savais incapable de garder ma langue de vipère et je me doutais que sa fureur, envers de son amour intransigeant, se rallumerait à la première alerte. Cet état de crise me plaisait ; j'adore pousser les gens à bout, les exaspérer, leur tordre les nerfs jusqu'à m'y brûler. J'y trouve le même vertige expérimental que dans les feux de l'érotisme. La scène est une prolongation de la volupté par d'autres moyens. Et puis, dans la famille, nous avions toujours côtoyé la folie par les femmes. Mon père, mon grand-père et son propre père avaient eu le don tous les trois de pousser leur épouse au bord de l'aliénation. J'avais une autre victime à immoler à la tradition, cette longue lignée de despotes domestiques m'encourageait à reprendre le flambeau. Et celui qui n'apprend rien de son passé, du passé de ses ancêtres, se condamne à en revivre les malheurs.

Un souffle d'air vint soudain balayer nos visages rougis par l'infâme confidence : sans frapper, Rebecca avait ouvert brutalement la porte.

— Bonsoir.

Au son de cette voix, le reclus avait arrêté court son verbiage dément. De larges plaques ardentes avaient jailli

sur son visage comme des pièces de vermillon collées à
même la peau.

— Mais c'est « monsieur Courroucé », prononça-t-elle
en s'inclinant devant moi. Êtes-vous toujours aussi irrrrr-
rité ?

— Mais non, corrigea Franz avec un mauvais sourire,
ce n'est plus « monsieur Courroucé », c'est don Quichat,
sauveteur des minets, défenseur de la veuve et du mistigri.

— Qu'est-ce qu'il a fait encore, s'exclama Rebecca au
bord du fou rire.

Ce « qu'est-ce qu'il a fait encore ? » m'acheva. Je fus
ulcéré. En mon for intérieur s'entend, car extérieurement
je continuai à arborer un large sourire qui me crispait la
bouche. Je brûlais de couper court à ces rebuffades mais
ne pus balbutier que quelques mots inaudibles. J'étais
assis à l'endroit où se croisait le souffle des deux époux,
et ce souffle était un courant d'air fétide. J'avais besoin
d'air, j'aspirais au large pour me débarrasser de la fange
où nous marinions depuis si longtemps. Je m'enfuis, confus, et quand je claquai la porte derrière moi, je crus
entendre des rires moqueurs. Ils devaient faire des
gorges chaudes, se jouer de ma déconfiture. Je me sentais
tout éclaboussé, sali. Il avait bien fallu le pantomine
dérisoire de Franz, la pitié lâche qu'inspire un handicapé
pour que je supporte ces vulgarités. Je courus à ma
cabine comme un renard acculé s'enfonce dans son ter-
rier. Béatrice dormait déjà, et sa respiration régulière,
son parfum un peu sucré monopolisaient le lit avec une
insistance presque écœurante. « Oh pardon », lui dis-je à
voix basse, honteux de ma pensée, « je suis tellement
bouleversé ». Je voulais réfléchir, laisser libre cours à
mon dépit mais un flot de lassitude m'emporta. J'étais
accablé, un engourdissement de tous les membres m'inti-
mait de dormir. Je sombrai dans le sommeil. Je fis un
rêve : Rebecca se tenait sur la lisse du navire, le petit chat

de Venise dans les bras, et elle me répétait en le caressant : « Tu mérites mieux que Béatrice, tu vaux mieux que la vie qu'elle te réserve. » Puis elle jetait le chat à la mer et se mettait à proférer des obscénités avec un atroce accent allemand. Il fallut que je me réveille trempé de ce cauchemar, en pleine nuit, pour que je réalise enfin ce qu'était la cabine de Franz : un atelier de détraquage sentimental.

Troisième jour :

Le rendez-vous des infidèles.
Où les amants se rejoignent,
ils tombent en cendres.

Le lendemain, quand j'ouvris les yeux, Béatrice était déjà sortie. Une pluie violente fouettait le hublot, brouillait la vue, prison aux mille barreaux liquides. Avec le souvenir de la soirée me revint la colère. Mes sentiments pour Franz, cantonnés jusque-là à un amalgame de curiosité et de dégoût, culminaient ce matin dans la rancœur. Sa confession répugnante, les ricanements de sa femme m'étaient devenus intolérables. J'avais cessé de désirer leur amitié, je ne voulais plus les voir ni les entendre. Au besoin, je m'enfermerais dans cette cabine pour échapper à leurs moqueries. Il fallait que je fasse part à Béatrice de ma décision.

Je la trouvai attablée dans la salle à manger déserte devant Marcello. Étonné et heureux de ce tête-à-tête avec un individu qu'elle critiquait la veille, je résolus, par politesse, d'attendre un peu avant de lui confier mon projet. Après lui avoir glissé à l'oreille que je ne lui en voulais plus de l'incident du chat, je me mêlai à une conversation toute en à-propos sur l'Orient où l'italien alternait avec le français. S'il était une personne avec qui j'étais heureux de communiquer des pensées qui dépassent la gamme des banalités ordinaires, c'était bien Marcello. Malgré le peu que nous nous étions dit, il m'impressionnait, il avait mené à bout une expérience où je n'étais que novice, je me sentais face à lui toute question, toute curiosité. Et puis, il avait une faculté de propager l'enthousiasme qui m'emballait. Je m'en souviens, il parlait de la route des Indes quand Béatrice se plaignit d'avoir froid. Gentiment, je proposai d'aller lui chercher un pull-over dans sa cabine. Au retour, je m'étais arrêté un instant dans le hall face à une carte maritime de la Méditerranée ; soudain, une petite toux éclatante près de moi me fit sursauter. C'était Rebecca, très pâle, les cheveux dépeignés.

— Didier, je..., je vous en prie, ne pensez pas à moi bassement.

Elle avait parlé sur un ton d'imploration et m'avait pris le bras, un air d'égarement sur le visage. Je crus d'abord à quelque nouvelle farce et m'apprêtai à la planter là.

— Je ne voulais pas me moquer de vous hier soir. J'ai ri parce que j'étais énervée. Ne tenez pas compte des horreurs que Franz débite sur moi. Son état de malade le pousse à fabuler, il voudrait que tous subissent son ascendant.

Elle tenta de sourire, mais un tremblement changea ce sourire en sanglot rentré. J'étais agacé, je n'arrivais plus à ajuster les images que cette fille émettait en ma direction tant elles juraient les unes avec les autres.

— Il fallait que je vous voie, je tiens à votre estime.

— Vous tenez à mon estime ? lui dis-je, affectant une froideur dont j'espérais qu'elle n'était pas dupe, l'estime d'un individu aussi terne que moi, d'un « monsieur Courroucé » ?

— Oui, j'y tiens. Et cessez, je vous prie, je ne le dirai plus.

J'essayais de la taquiner pour minimiser le vacarme de mon cœur, car j'étais désemparé. Que cette femme, hier dominatrice, soit aujourd'hui suppliante me laissait pantois. Je ne parvenais pas à démêler ses intentions, me disant que peut-être elle n'en avait aucune. Déjà, je me reprochais d'avoir péché par excès de méfiance, d'avoir été naïf à force de soupçons. La faute en revenait à Franz, à ses fables extravagantes, et je le suspectais maintenant de quelque exagération sinon de mythomanie. La contrition de Rebecca changeait tout, elle n'était plus qu'une jeune fille fragile qui tentait de sauvegarder sa réputation souillée par un mari peu délicat. Baissant la voix, elle me dit avec une légèreté caressante :

— Didier, je voudrais vous parler seul à seul...

— Mais nous sommes seuls.

— Pas ici, dans ma cabine.

Un afflux de sang me monta au visage que j'aurais voulu couvrir de mes mains, j'exécutais une négociation difficile entre mon malaise et la nécessité de le cacher. Rebecca avait relevé la tête et me regardait avec une fixité ardente.

Ses lèvres entrouvertes laissaient apercevoir des dents très blanches ; l'éclat laiteux de ces perles me donna une secousse que je ne pus dissimuler.

— Pourquoi dans votre cabine ?

— Nous y serons plus tranquilles, je vous expliquerai tout.

— Pas maintenant, je ne peux pas.

— Je sais, venez cet après-midi à 5 heures, numéro 758.

Je suffoquai sous la brutalité de la proposition et dus me tenir à la rampe pour ne pas chanceler. Ce rendez-vous m'avait retourné comme un gant ; instantanément j'oubliai la colère qui m'animait à peine une heure avant. Je crois que je serais resté longtemps debout dans le hall à méditer cette invitation si Rebecca ne m'avait ramené à la réalité.

— Vite, Didier, Béatrice vous attend. Je suppose que ce pull-over est pour elle puisque vous en portez déjà un sur vous. A tout à l'heure.

Je remontai à la salle à manger comme frappé de lumière. Dans mon enthousiasme, j'embrassai Béatrice

111

devant Marcello et leur offris à tous deux un autre café.
Au lieu de me remercier, Marcello n'eut qu'un mot :

— « Celui qui donne, disait Vivekananda, doit s'age-
nouiller et remercier celui qui reçoit de lui avoir fourni la
possibilité de donner. »

Cet Italien possédait une citation pour chaque circonstance, manie ridicule qui sur l'instant me parut le comble
du savoir-vivre. Il parlait toujours de l'Inde mais seul le
rendez-vous de Rebecca poursuivait dans ma tête son
insistante petite musique. Dire qu'il avait suffi d'un
moment pour que mes réserves se transforment en consentement ! Comment cette femme avait-elle pris en deux
jours une telle importance ? Qui m'avait gratifié d'un
sentiment, d'une perception neuve pour elle ? Étrange
hasard : pareil à ces voisins de palier qui se parlent pour
la première fois à dix mille kilomètres de chez eux, il fallait que j'aille en Asie pour tomber dans ce que je n'avais
jamais connu en France : un vaudeville ! Bien sûr, je ne
me rendrais pas dans la cabine de Rebecca ; non, à la
place, je m'enfermerais chez moi pour lire la *Révolution
spirituelle* de Krishnamurti. Et déjà je me reprochais
comme une perfidie cet engouement inattendu pour elle,
je cherchais à me distraire de son idée en égrenant les
charmes de Béatrice, les beautés qui m'attendaient en
Orient. J'allais gâcher une vie prometteuse des plus profondes félicités pour... pour quoi au juste ?

Comme si elle lisait dans mes pensées, Béatrice me
rappela à l'ordre en fronçant les sourcils. Cette répri-
mande muette eut le don de m'horripiler : j'eus soudain
l'intuition désagréable que tout avait changé d'une
manière subtile, insaisissable. Que nous entrions dans
une nouvelle constellation qui allait modifier nos rapports. Et loin d'écouter Marcello, je la détaillais fixe-
ment : jamais je ne l'avais trouvée si peu à son avantage.
Elle ne s'était pas fardée, ce qui laissait à vif les imper-
fections d'une peau marquée par la trentaine ; le bijou

112

qui pendait sur sa poitrine avait pour effet principal d'en souligner la maigreur pathétique. Elle ne se souciait plus de me plaire et se montrait au naturel : avec ses cheveux blonds en désordre et sa robe-sac qui lui tombait jusqu'aux pieds, elle me paraissait dépourvue de cette féminité inquiète, profuse qui constituait l'attrait de Rebecca. Béatrice, femme-enfant à l'anatomie inachevée, appelait des affections sereines, des caresses sans surprises, tandis que Rebecca m'obsédait par on ne sait quelle tentation d'amour énervant et brutal. Je trouvais la première trop simple à côté de la souplesse féline, de la beauté plus rare de cette inconnue. Pourquoi ne pas me l'avouer : Béatrice était une femme qu'on classe d'emblée parmi les personnes sages. Même la fantaisie de ce voyage ne pouvait prévaloir contre cette impression de sérieux et de raisonnable qu'elle donnait. Dieu, qu'elle était raisonnable !

A midi, soucieux de ne pas manger avec Franz, je lui jouai un bon tour dont je me félicite encore. J'arrivai en avance avec Béatrice et choisis une table où ne restaient que deux places. Étaient présents, outre Raj Tiwari toujours ponctuel aux repas, deux étudiants turcs et un étudiant iranien. On parlait, dans un anglais balbutiant, de la prochaine escale à Athènes, de la tempête prévue pour la nuit, de la fête du Nouvel An, le lendemain soir. La discussion n'était guère affectée par les différences nationales et pas une fois on n'aborda le domaine politique, particulièrement épineux depuis l'affaire iranienne. Heureux de pouvoir, sous le couvert de ce bruissement de mots, songer tout à mon aise à l'après-midi, je m'abandonnai avec soulagement au fantôme provisoire et relaxant de la conversation. Quand Franz arriva, poussé par un marin — j'avais reconnu de loin l'horrible grincement des roues semblable au grelot d'un lépreux —, je terminais mon dessert. Il rôdait autour de notre table comme une mouche autour d'une charogne, cherchant désespérément un coin libre où se glisser, soudé à sa chaise dans une grimaçante copulation.

— Tenez, lui dis-je en me levant, je vous cède ma place.

— Vous partez déjà ? Je mourais d'envie de bavarder avec vous !

— Trop tard, Franz, vous permettez que je vous appelle par votre prénom ? J'ai fini de manger. Il faudra vous trouver une autre victime.

— Qu'est-ce que ça veut dire ? Je croyais que nous étions camarades.

— Camarades ! Le mot me paraît vraiment trop faible : dites plutôt qu'il n'y a pas eu de meilleurs amis depuis Castor et Pollux.

— Pourquoi ces sarcasmes entre vous ? coupa Béatrice.

Franz avait repris un mauvais sourire.

— Didier est un peu nerveux parce qu'il me sait présent entre vous et lui-même quand je ne suis pas là.

Je haussai les épaules. Mais une réflexion de Tiwari — il demandait à Franz des nouvelles de Rebecca — brisa net ma bonne humeur : il me revint à l'esprit que nul n'avait regardé ou même complimenté Béatrice durant ce repas. Et tous, me semblait-il, tandis que je m'éloignais vers la porte, mettaient une mauvaise note sur elle, et me regardaient avec une pitié malveillante. Bien sûr, nous devions avoir l'air un peu naïf de ces couples en jeans qui se déguisent en baroudeurs pour faire croire qu'ils ont beaucoup vécu sous les tropiques.

— Tu as de curieux rapports avec Franz, me dit Béatrice.

— Ce type m'exaspère... J'ai fait exprès de m'asseoir à une table bondée, pour échapper à ses grimaces, à ses sous-entendus.

— Tu te formalises vite. A propos, tu ne m'as pas raconté hier soir.

— C'était ignoble.

114

Et en deux mots je lui résumai la confession de l'infirme, prenant bien soin d'englober sa femme dans mes reproches. Mais en moi-même je ne pensais qu'au rendez-vous de l'après-midi, seul élément heureux dans cette journée.

Là aussi pourtant j'étais partagé. D'un côté, je voulais être délivré du tourment d'entendre et de revoir Franz. De l'autre, j'étais attiré par Rebecca. Avec ce rendez-vous, je crus avoir tout concilié : j'aurais la femme et me débarrasserais du mari. Restait Béatrice. Il me fallait lui mentir. Mais je l'ai dit : novice en ce domaine, je craignais de gaffer. J'hésitais, pesais longuement ce que coûterait une trahison. Notre couple reposait sur des clauses tacites, confortées par le temps, et aussi sévères qu'un contrat de mariage. Bien sûr, la réprobation qui s'attache au mensonge avait de quoi me faire surseoir ; mais puisqu'au fond il s'agissait de ma première « tromperie », j'emploie à dessein ce mot désuet, je n'avais pas trop à m'inquiéter. Et puis, avec un peu d'adresse, j'espérais garder secrète ma brève intrigue. Après tout, il ne restait que quarante-huit heures avant Istanbul, et les risques de voir l'affaire ébruitée en étaient diminués d'autant.

Allons, pourquoi m'angoisser de la sorte ? Il ne s'agissait que d'emprunter Rebecca ! Je n'allais pas mourir ni la terre se retourner d'un flirt inconséquent. L'essentiel était que tout se passe en dehors de Franz ; et puis l'idée de lui faire du mal, l'appât de bafouer un mari légitime qui avait tenté de me rabaisser donnaient dix fois plus de prix à ma démarche et entraînaient cette part indécise de moi-même qui demandait prudence.

Distrait par les escarmouches du repas, je n'avais rien pu inventer pour exécuter mon plan. Les circonstances vinrent à mon aide. En raison du mauvais temps, la direction du navire organisa un loto et divers jeux de hasard pour l'après-midi. J'y passai avec Béatrice, passionnée par les cartes, deux bonnes heures durant lesquelles j'élaborai toutes sortes de mensonges. Finalement, je m'arrêtai à celui dont la banalité me garantissait la réussite : vers cinq heures moins le quart, prétextant un petit besoin, je m'éclipsai du salon. Comment j'expliquerais ma longue absence, je ne m'en souciais guère, tout à l'intensité du moment. A la pensée de voir Rebecca en tête à tête, je sentais mes jambes fondre sous moi, et plusieurs fois je manquai de retourner au jeu : je me doutais bien qu'elle m'avait convoqué dans sa cabine avec des intentions précises. J'étais effrayé, je n'avais même pas eu le temps de caresser l'image d'une aventure que déjà elle en brusquait le dénouement.

Comme je regrettais de n'avoir rien pris pour m'habiller ! Accompagnant Béatrice, je n'avais pas éprouvé le besoin de me mettre en frais et n'avais pas de quoi paraître. Pour compenser, je passai de longues minutes au lavabo à me recoiffer, à lisser ma chemise dans mon pantalon. Malgré moi me revenaient les révélations que Franz m'avait faites sur son épouse, son fessier majestueux, ses baisers humides, son goût des situations irrégulières, et je confesse que ces indécences excitaient ma curiosité. J'imaginais des audaces à côté de quoi mes étreintes conventionnellement hardies avec Béatrice me semblaient puériles. Si les saletés de l'infirme étaient vraies, la présence de Rebecca à bord leur conférait soudain une redoutable réalité ; et je craignais de ne pas me montrer à la hauteur, d'apparaître comme un naïf.

Enfin, j'arrivai à l'heure dite dans le couloir des premières classes, commençant à manquer de courage, sentant mon cœur battre de façon inhabituelle. Le heurt discordant des vagues contre la coque brisait le tremblement continu des machines dont les étages supérieurs répercutaient les vibrations. Je trouvai le 758, remarquant sa proximité avec la cabine de Franz. Pourvu que l'infirme ne sorte pas maintenant et ne me surprenne en train de me glisser chez sa femme ! Au moment de frapper, mon émotion redoubla. Plus que tout, je désirais et redoutais cet instant. Je collai mon oreille contre la porte : pas un bruit. Aucun rai de lumière ne filtrait par le sol. D'une main craintive je tapai deux petits coups. Pas de réponse. Je tapai plus fort. Toujours rien. Je tournai la poignée de la porte : elle était ouverte. J'entrai à demi : la cabine était plongée dans l'obscurité. Un rideau léger devant le hublot palpitait doucement comme un voile. J'appelai :

— Rebecca.

Du lit placé au fond me parvint très bas un « Chut ».

— C'est Didier, je peux entrer ?

Ma voix tremblait.

— Chut, chut.

Cette délicatesse me toucha — elle avait, je le suppose, éteint la lumière pour ne pas accroître ma timidité —, je refermai la porte derrière moi et, prenant garde de ne rien renverser, allai droit au lit comme un gourmand à la cuisine.

— Où êtes-vous ?

— Ici, me dit-elle d'une voix méconnaissable qui me sembla venir d'un autre endroit.

Elle devait être aussi émue que moi. Cette pensée m'enhardit. Malgré le noir, j'apercevais ses formes dissimulées sous un édredon et je pouvais presque distinguer son visage. Elle avait tiré ses cheveux en arrière car je ne les voyais pas. Avec hésitation je m'assis sur le bord de la couchette et, ne sachant que faire de mes paumes les frottais l'une contre l'autre. Je les trouvais moites et glacées, et tentais de les réchauffer. Bientôt, je sentis les bras de la jeune fille sortir de dessous les couvertures, me chercher dans l'ombre, caresser mes genoux. J'admirais que tout se passe si simplement et, soudain téméraire, me penchai sur cette main fiévreuse, la portai à ma bouche. J'en baisai d'abord les doigts curieusement larges et épais puis glissai vers les poignets : leur rudesse, les poils qui les recouvraient me surprirent désagréablement. Un soupçon me vint qui m'ôta toute retenue. Je palpai la tête de ma partenaire et poussai un cri : ce crâne à demi dégarni, ces joues râpeuses... Mais avant que j'aie réalisé, un éclat de rire fusa de la salle de bains, une lampe s'alluma éclairant une scène que je n'oublierai de ma vie : c'était Franz, les couvertures remontées jusqu'au menton que je tenais dans mes bras tandis que Rebecca, debout sur le seuil de la salle d'eau où elle s'était cachée, s'esclaffait sans vergogne de ma mine déconfite.

Je me désintégrai en un fouillis d'émotions violentes, me levai horrifié, hurlant « salauds, salauds », comment avaient-ils osé, mais pour qui me prenaient-ils ? N'eût été l'infirmité de Franz, je l'aurais roué de coups, et j'étais tellement dégoûté de son contact que je crachai plusieurs fois par terre. J'étais outré par la trahison de Rebecca, mais déjà elle s'était enfuie sans me laisser le temps de lui parler. J'allais la poursuivre quand le handicapé me saisit le bras avec une telle violence que je gémis de douleur.

— Ne faites pas l'enfant, siffla-t-il, prenez les choses avec humour. Croyez-moi, je n'ai ressenti aucun plaisir à ces tripotages. Mais il le fallait pour que vous écoutiez la suite de notre roman : Rebecca l'a exigé, elle désirait rectifier son image dans votre opinion ; nous cherchons seulement à vous instruire.

— Lâchez-moi, braillai-je, cherchant à m'encourager par mes propres exclamations, je ne veux ni vous voir ni vous entendre.

— Ne vous entêtez pas dans une intransigeance juvénile. Vous voulez Rebecca, oui ou non ?

J'étais atterré : voilà que maintenant l'infirme me proposait sa femme. J'avais cru la séduire, c'est lui qui me l'offrait tel un maquignon. Comment avais-je pu m'abaisser à ce point ?

— Je ne veux rien, ni elle ni vous, laissez-moi partir ou j'appelle.

— « Laissez-moi partir ou j'appelle maman. »

Il avait pris le ton pleurnichard d'un enfant qui trépigne.

— Alors, partez.

Il me lâcha et je me trouvai libre.

— Allez, décampez, allez retrouver votre petite vie conjugale en forme d'enterrement, vite, Bobonne vous attend.

Tant de cynisme étalé avec tant de désinvolture me laissait sans voix : j'étais l'offensé, et il se permettait encore de m'injurier ! Mon Dieu, songeais-je en moi-même, est-ce là une compagnie pour moi ? Cette fois je vais mettre les choses au point, cette fois je m'en vais, ils ne me verront plus. Naturellement je restai. Franz se fendit aussitôt d'un sourire mielleux :

— Vous hésitez, je vous préfère comme ça ! Si vous la désirez, il faut vous en donner les moyens. Elle m'a promis de se donner à vous dès que j'aurai fini mon récit.

Mais que me voulait au juste cette canaille ? Que signifiaient ses propos incohérents ?

— Voyez-vous, je vise à ce qu'elle tombe dans vos bras. Mais selon certaines règles. Vous savez ce qu'a dit Kierkegaard : la nature féminine est un abandon sous forme de résistance.

— Je me moque de vos confidences et de votre femme, cela m'est complètement indifférent.

— Avouez qu'elles vous intéressent plutôt, sinon vous seriez déjà parti.

— C'est un véritable marché que vous me soumettez ?

— Disons plutôt un jeu que j'ai institué pour mon plaisir. Je ne vous demande pas grand-chose : simplement d'être un auditeur attentif. Je n'en veux qu'à vos oreilles, vous ne risquez guère.

J'étais très agité et comme interloqué ; et je me demandais vaguement si j'avais déjà lu dans un livre l'équivalent de cette situation.

— Mais pourquoi moi plutôt qu'un autre, pourquoi pas Béatrice ?

— J'ai commencé, je terminerai avec vous.

— Vous n'êtes pas jaloux ?

— Je n'en veux pas à Rebecca d'aller chercher ailleurs ce que je ne lui offre plus. Simplement je coopère à ses écarts au lieu de les subir.

Je haletais :

— Soit, vous m'avez dupé, pour cette fois je l'admets. Mais croyez bien que je ne reste que de mon propre chef. Vous ne me faites pas peur, je vous connais, je sais que je ne risque rien, et c'est moi, Franz, moi seul qui vous donne l'autorisation de vous raconter, vous entendez ? Vous dépendez entièrement de mon bon vouloir.

— Je n'en ai jamais douté, Didier, je suis l'esclave de vos décisions. Aidez-moi, voulez-vous ?

Il avait une lueur goguenarde dans les yeux. Une fois de plus je m'étais laissé piéger par sa vile tactique : je me sentais la proie d'un complet découragement, et encore que des répliques indignées, percutantes continuaient à m'assaillir l'esprit, je souffrais d'une lassitude de tous mes membres comme après quelque grande et irréparable défaite. Je me pris à détester ce bateau qui me rendait prisonnier d'un entourage indésirable, et regrettais presque l'avion qui nous eût menés à bon port en quelques heures. Sans réfléchir, j'aidai Franz à s'asseoir : il était incroyablement lourd et musclé, et j'eus toutes les peines du monde à le caler contre les oreillers.

Il n'y avait pas de fauteuil disponible et le lit était trop étroit pour s'installer dessus. A mon grand déplaisir, je dus sortir la chaise roulante cachée dans la salle d'eau, en déplier l'appui-tête et me tasser dedans en bloquant la commande directionnelle à cause du tangage. Ce renversement des rôles ne fit qu'ajouter à mon malaise.

D'avance, j'étais épuisé à l'idée des aventures de Franz. Il allait en poursuivre le récit avec fanfaronnerie, sûr d'avoir placé sa vie au-delà de mon entendement, me réservant la tâche passive de l'auditeur. La cabine de Rebecca était plus coquette, mieux tenue que celle de son mari. On y voyait même des fleurs. Sur une étagère reposaient comme à côté une bouilloire à prise, des tasses et des sachets de thé rangés sur un plateau en ébonite.

— Vous verrez, ce ne sera pas long, j'en aurai fini pour l'heure du dîner. Faites-nous un thé.

Et comme la veille, le frémissement de l'eau qui chauffait accompagna le bavardage du handicapé.

Où les amants se rejoignent, ils tombent en cendres

Je vous l'ai dit hier, Rebecca et moi venions de perdre l'habitude de ces dégoûtantes merveilles qui nous avaient étourdis plus d'un an. Ce sabbat charnel avait donné un second souffle à notre couple sans le sauver pour autant de son destin périssable. Notre crédit-lubricité venait à expiration et nous menait droit à la banqueroute. Maintenant, je savais que l'illusion d'une vie commune devait être dissipée. J'avais une bataille à mener: me débarrasser d'une femme qui m'aimait encore. Je souffrais de ce malheur si fréquent chez les petits-bourgeois de ne pas consentir à moi-même et croyais trop à l'amour pour me contenter du niveau relatif où était tombée notre liaison. La fidélité à une personne est un prix trop cher payé pour n'être pas compensée par une excitation égale: l'être à qui s'adresse une préférence exclusive a la charge écrasante de remplacer tous les hommes, toutes les femmes que sa présence exclut. Tâche impossible: nul n'est divers et multiple comme le monde. Je me mis à haïr la fidélité anxieuse de l'amour passionnel à laquelle j'opposais la fébrilité joyeuse

121

du papillonnage ou simplement l'atonie émotionnelle du célibataire. Je retrouvais le sentiment conjugal par excellence déjà éprouvé avec mes compagnes antérieures: la congélation de l'enthousiasme en lassitude.

Et puis, il est un âge de la vie où toute liaison devient prévisible, y compris sa dégradation: l'expérience nous interdit les retrouvailles d'un sentiment neuf, tue en nous la fraîcheur de l'ignorance bienheureuse. Je vous l'ai dit: j'aspirais au changement pour le changement. Savoir qu'à toute heure du jour et de la nuit, pendant que je me consumais en tête à tête avec Rebecca, des gens s'amusaient, s'enivraient, dansaient, me fouettait les sens, me faisait rager de ma situation captive. Paris me rongeait par ses rythmes frénétiques, qui constituaient autant d'intimations à m'agiter, à me remuer. Rebecca s'épouvantait de mes envies turbulentes et déployait pour les contrecarrer autant d'opiniâtreté que moi à les satisfaire; elle me cherchait querelle sous les prétextes les plus futiles, et nous nous disputions dans l'étouffante alcôve de notre couple comme deux guêpes qui s'entre-tuent dans un pot de miel.

Il s'en fallut d'un rien que notre mélo ne tournât pas au drame: que Rebecca se moque de moi, prenne un amant attitré, se montre plus indépendante. Mais son intransigeance, sa naïveté précipitèrent sa chute. Au début, mes cruautés n'avaient pas un caractère réfléchi, je la testais, j'égrenais des vacheries comme on égrène les perles d'un chapelet sans scénario préparé. Je lançais au hasard des flèches dont j'ignorais qu'elles feraient mouche. En montrant le dépit que mes propos lui causaient, elle encouragea mon mauvais caractère, et se fit l'instrument de sa propre déchéance. La haine, dit-on souvent, est l'autre versant de l'amour. Et si c'était le contraire? Si l'affection n'était qu'une parenthèse entre deux batailles, une trêve, le temps de reprendre souffle? Et puis, la monotonie en apparence lugubre du mal abonde en excitations plus intenses que toutes celles de la volupté. La scène de ménage acquiert une dimension idéale quand elle devient une fin en soi qui précipite l'action, crée toutes sortes de circonstances et de détails qu'il faut attendre longtemps dans une vie sereine. On y atteint un tel degré d'excellence dans l'horreur que tout ce qui a précédé y gagne une saveur de poncif. Comme je concevais l'amour sous la forme d'une surenchère permanente, seules les péripéties renouvelées, les coups de théâtre, les brouilles, les réconciliations pouvaient retenir mon cœur inquiet.

Je détenais sur Rebecca l'avantage d'être l'assaillant ; elle se défendait pied à pied, mais qui ne prend l'initiative finit par reculer. Mon être tout entier se trouvait préparé à la violence ; la plus légère contrariété, une cendre de cigarette tombée sur la moquette, le téléphone dérangé, un verre renversé dégénéraient en brutalité, grossissaient de façon démesurée. Il n'y avait pas de proportion entre la cause et l'effet produit sur mes nerfs irrités. Tout de suite, je voyais rouge. Rebecca me répondait. Nous éclations en fanfares belliqueuses. La colère lui donnait un air vulgaire, démonté qui m'horrifiait et gâchait sa beauté. Nous nous lancions à la tête des hottées d'injures, les coups suivaient les mots, la querelle dégénérait en rixe, nous lacérions nos lettres, nos vêtements, nos livres, puis, énervés à l'excès, vibrant de rage et de haine, apostrophés par les voisins que nos altercations dérangeaient, nous tombions comme deux clochards exténués sur le lit.

Toute gaieté de l'un constituait un affront pour l'autre, nous y supputions un mauvais coup et ne nous tolérions que dans une morosité commune. Cette morosité à son tour, quand elle se prolongeait trop, devenait une offense. Parfois à table, au café, au restaurant, un silence s'installait, un blanc pesant, hostile, long d'un demi-siècle, qui s'étendait comme un gaz, montait jusqu'au plafond, nous figeait, nous emprisonnait: la guerre était déclarée. Ces silences lourds de plaintes amères, de reproches vivaces concrétisaient le délabrement de nos liens.

— Allons vite regarder la télévision, disais-je alors, au moins nous ne serons pas obligés de nous parler.

Comme tous les couples, nous faisions un usage quasi narcotique du petit écran et du cinéma, ces jouissances matrimoniales qui permettent aux conjoints de se supporter plus longtemps sans avoir à parler.

Je la voyais trop, beaucoup trop. Si encore nous nous étions séparés, parfois, elle aurait repris loin de moi cette densité fastueuse qu'elle perdait à mon contact. Mais nous ne nous quittions pas. Je haïssais la fade nourriture de nos jours moribonds, l'alternance insupportable du travail et de la corvée amoureuse. Elle me disait mon caractère, mon égoïsme, mes manies, je lui répondais fatalité du couple, échec inévitable de la vie conjugale; bref, me parlant d'une situation particulière, je la renvoyais à des problèmes métaphysiques, la mettais au pied d'un mur indépassable. Pour l'enfoncer davantage, la pousser à me quitter, je lui représentais sans cesse toute la fausseté de l'état conjugal :

— Notre romance se nourrit d'elle-même: cette autarcie s'apparente à la famine. Il existait autrefois des obstacles, conflits religieux ou sociaux, qui valorisaient le couple en le rendant précaire. Autrefois la plus magnifique cause d'amour était le danger même de l'amour. L'imprudence allumait des passions que notre époque de sécurité ne connaîtra jamais: heureux temps pas si lointains où aimer était synonyme de risquer. Aujourd'hui, nos amours meurent de satiété avant même d'avoir connu la faim. C'est pourquoi les amants sont si tristes: ils savent qu'ils n'ont d'autre ennemi qu'eux-mêmes, qu'ils sont à la fois la source et le tarissement de leur union. Qui accuser, hélas, sinon « nous deux », et quelle plus grande amertume que de tuer celui qu'on adore par le simple fait d'être ensemble?

Rebecca ne se rendait pas à mes arguments et leur trouvait toujours des objections. Alors j'insistais:

— Tu ne te dis jamais que nous nous gênons l'un l'autre, que tu mènerais une autre existence, meilleure peut-être, si je n'étais pas là? Tu n'entrevois pas dans notre côte à côte un avenir effroyable de monotonie, un dénouement sinistre?

Ces discussions n'avaient pas d'issue: chacun restait sur ses positions, chaque prise de langue se terminait par un faux départ de Rebecca qui revenait une heure ou un jour après, humble et repentante.

Elle eut encore de beaux sursauts, particulièrement la nuit; à mesure que le jour tombait, son exaltation montait, incontrôlable et déchaînée. Alors, si nous devions nous rendre chez des amis, dans un lieu public, je redoutais ses réactions. Pour la moindre réflexion, le moindre regard trop appuyé sur une autre femme, elle était capable de me gifler, de me jeter une assiette à la figure, de m'injurier devant tout le monde, de me menacer d'un couteau. Le ridicule d'une altercation en public ne l'effrayait pas, au contraire.

Je me souviens d'une soirée dansante où elle avait bu plus que de coutume, excitée jusqu'à jeter de l'eau à la tête des personnes qui lui déplaisaient, se roulant par terre, gloussant comme une grue au moindre bon mot, aguichant les hommes, éclatant de son rire hystérique qui m'indisposait tant, pour finir à demi évanouie dans les toilettes au milieu des vomissements qu'un excès d'alcool avait arrachés à son estomac surchargé.

Il faut vous dire que mes amis n'avaient jamais accepté Rebecca; ils lui reprochaient ses tenues trop voyantes et sa beauté qui éclipsait leurs pâles tendrons, pourtant de haut lignage et de bonne famille. Ils en voulaient à cette enfant du peuple de ne pas tenir son rang, de se prétendre leur égale et même de rivaliser avec eux. Tous ces faux déclassés, pseudo-libéraux, anciens gauchistes, anciens combattants des justes causes révélaient leur vraie nature de bourgeois à son contact : elle restait exilée au milieu de ce beau monde qui l'accueillait du bout des doigts. Auprès de ces snobs, elle se montrait hautaine, fantasque, leur en voulant de jouer un double jeu, de ne pas s'avouer pour ce qu'ils étaient : de simples privilégiés. Aussi quand la dose de dédain, de mépris devenait dans ces réunions mondaines trop forte pour elle, Rebecca se saoulait comme durant cette soirée dont je vous parle. Je la ramenais pantelante à la maison, furieux du spectacle où elle s'était vautrée, des quolibets et des moqueries d'une assistance peu portée à l'indulgence.

Dans le lit, dès qu'elle eut repris ses esprits, je l'accablai de reproches ; elle répliqua que tout avait eu lieu par ma faute et qu'elle ne supportait plus les gens riches et puants que je fréquentais. Je la contrecarrai ; elle persista dans ses accusations et pour finir me gifla. Je la frappai à mon tour. Elle m'envoya ses pieds dans le ventre si violemment que je roulai à terre. Excédé par sa brutalité, je lui appliquai de grands coups à plat sur la figure. Puis je me couvris le visage, attendant une riposte. Rien ne vint. J'attendis encore. Pas un bruit. Je l'appelais. Pas de réponse. Je la secouai. Elle ne résistait pas. Enfin, j'allumai : elle gisait les yeux fermés, très pâle, tout enchiffonnée dans les draps défaits. Je me mis à hurler, à pleurer, la prenant tendrement contre moi, l'adjurant de se réveiller, d'ouvrir un moins un œil, de manifester au moins un signe de vie. Son inertie était telle que j'aurais pu la plier, la déchirer sans qu'elle bronche. Je pris son pouls : il battait faiblement et sans régularité. Je courus chercher de l'eau et lui en humectai le visage en soulevant sa tête. Aucune réaction, l'évanouissement était profond. Je connaissais trop ce genre d'état pour ne pas redouter le pire. Déjà, je me repré-

sentais ma vie compromise, sa famille me poursuivant
d'une implacable rancune. Et cela pour un geste de nervosité. Dans mon machiavélisme, c'est moins la peur de
l'avoir tuée que la crainte de ma réputation ternie qui
m'épouvantait. Je m'apprêtais à lui faire une piqûre pour la
ranimer. Mais elle n'était qu'assommée; elle se réveilla
enfin. J'étais pourtant à demi rassuré: elle était blême, la
sueur lui coulait sur le front. Elle se plaignit d'une voix
inaudible de violents maux de tête. Je lui fis prendre deux
aspirines mais je ne pus fermer l'œil de la nuit. J'étais
noué, pétri d'angoisse, éprouvant une douceur presque
sensuelle à lui dire pardon, craignant qu'elle ne m'en
veuille, lui demandant de me transmettre sa chaleur, sa
vie. Sa pâleur m'effrayait, j'essuyais doucement ses joues
encore humides avec un fin mouchoir. Comme je l'aimais;
elle était mienne maintenant, je l'avais portée aux frontières de la mort et la ramenais doucement vers les régions
plus clémentes de la vie. Je savourais sa docilité totale, et
veillai sur elle jusqu'au petit déjeuner. Ma brutalité me
dictait une sentimentalité de circonstance où je m'apitoyais
autant sur elle que sur le terrible danger auquel j'avais
échappé. Le lendemain et les deux jours qui suivirent nous
n'eûmes aucune scène.

Les « flippantes »: par ce néologisme emprunté au jargon de l'époque, nous entendions la somme des forfaits et
des mensonges dont je réservais la révélation à Rebecca
pour les grandes occasions. Petit trésor de vacheries, provision d'horreurs, réserve de bobards avec lesquels j'avais
protégé mes incartades et dont le simple aveu, certains
jours particulièrement choisis, lui causait de profondes
et de violentes souffrances. A ce propos, un autre épisode
me revient en mémoire. Nous étions à Venise en mai, assis
à la terrasse du Florian. Dans cette ville des unions
éphémères et malheureuses, nous roucoulions, moquant,
comme vous hier, la légende maudite de la cité. Je ne

sais pourquoi la conversation dégénéra, mais au bout de quelques minutes, je distillai à Rebecca une de mes « flippantes », lui contant par le menu comment, deux semaines plus tôt, alors qu'elle me croyait de garde à l'hôpital, je couchais avec R., une de ses amies. Je savourais les conséquences de ma confession, attendant de la voir se décomposer, fondre en sanglots. Je me trompais. D'un geste brutal, elle m'expédia sa tasse de café à la figure. J'eus à peine le temps de m'essuyer qu'elle avait défait sa ceinture et m'en cinglait un grand coup à travers le visage. Un groupe de touristes applaudit. Je tentai de la maîtriser mais les lazzis, les sifflets des passants me retinrent. J'avais trop peur du scandale pour la gifler en public : j'optai pour la fuite sous les éclats de rire des gondoliers et des vendeurs à la sauvette. Je traversai la place Saint-Marc et empruntai la voie piétonnière qui mène à la Stazione. Et dans cette rue italienne, où Proust courait derrière sa mère pour lui dire au revoir avant qu'elle prenne le train, moi, petit médecin français, je prenais mes jambes à mon cou, talonné par cette furie qui voulait me rouer devant témoins. Je finis par la semer, et le soir nous nous réconciliâmes ; mais furieux d'avoir été ridiculisé devant tant de gens, j'attendis qu'elle fût endormie, capturai sur le sol deux cafards que je glissai dans sa petite culotte qu'elle portait même la nuit. Ses cris de terreur quand elle les découvrit, le traumatisme qui suivit alors que je feignais le sommeil me consolèrent délicieusement des humiliations du jour.

Croyez-le, Didier, au début tout au moins ce ne fut pas sans désespoir que je lui fus cruel. Tout au fond de moi, il y avait la terreur sourde d'une revanche. Penché en quelque sorte sur ma propre méchanceté comme sur un abîme qui me repoussait et m'attirait à la fois, je me laissais aller à la malfaisance avec des vertiges de volupté.

J'étais sans défense contre mes tares héréditaires. Bien

que j'aie haï et craint mon père, c'était son ordre encore que je perpétuais. Je trébuchais dans mon cordon ombilical, j'avais les yeux brûlés de placenta. Le vieil homme réclamait sa part, lançait ses ruades, me léguait chacun de ses défauts grossis à l'extrême comme par une loupe.

Dans les tourments que j'infligeais à Rebecca gisait ce rêve un peu dément : que des sombres eaux de l'humiliation jaillisse l'empreinte d'un sentiment neuf et bien trempé. Comme je me refusais à croire à l'ensablement de nos chimères, la férocité était encore une tactique perverse de séduction. Comprenne qui voudra.

Je n'avais plus envie d'elle. Nous n'avions qu'à allonger les bras pour nous prendre dans une étreinte passionnée, nos bras nous semblaient mous, comme rassasiés d'amour. Tout obstacle écarté, le désir devenait fade. Car le désir est fils de la ruse : il veut les voies buissonnières de l'oblique, la ligne droite l'ennuie. Par exemple, nous nous couchions : à ses yeux, à sa démarche, à sa langueur, je voyais bien qu'il me faudrait payer une fois de plus de ma personne ; je bâillais bruyamment, ostensiblement, jamais ne m'avait terrassé une telle envie de dormir ; elle, bien entendu, se blottissait contre moi, agaçait mes organes de ses genoux. La pensée de l'effort à réaliser m'effarait : elle était nue, opulente, belle. Alors pourquoi n'étais-je pas pris d'un grand désir de me fondre en elle ? Elle gisait là avec son ventre qui criait famine, ses organes en panique. Elle me tendait une bouche qui ne guettait que mon consentement pour m'engloutir. Embrasse-moi : je lui accordais un baiser. Encore : je rebaisais son museau. Mieux que ça. Sa langue m'importunait, c'était une vrille qui perforait mon palais, descendait par le bulbe digestif, passait l'entonnoir gastrique, allait réveiller les nerfs du ventre, leur criait : « Debout, debout, vous me devez le devoir d'amour ! »

Car le baiser en soi n'était rien à côté de ce qu'il inaugurait : ce quelque chose de niais et de conventionnel qui s'appelle l'accouplement. Par lâcheté, souvent, je cédais. J'écrasais mes lèvres contre les siennes comme on écrase une cigarette dans un cendrier et nous nous mélangions, elle résolue à en tirer le maximum de plaisir, moi à en finir au plus vite. Je fermais les yeux et m'acquittais sans élan de mes devoirs conjugaux. Je repris une habitude de l'adolescence : le calcul mental. Je me fixais une limite, par exemple, 1 000 ou 2 000 et comptais par tranches de 200, lentement, à l'allure d'une trotteuse, changeant de position à chaque tranche : les nombres étaient témoins de mon ennui et me permettaient de remplir le temps. Quand j'avais atteint le chiffre fixé, je me terminais en quelques soubresauts. Le brutal aiguillon des sens, loin de triompher de la satiété, ne cessait de la confirmer. Parfois, je m'aidais de l'image d'autres femmes pour accomplir ma corvée, mais la substitution tournait court, la réalité ne se laissait pas oublier. Avec le temps, pourtant, mon ardeur se refroidit tout à fait : je ne la touchais plus et lui imposais une chasteté de lassitude.

Ainsi, la part de mythologie dont j'avais gratifié Rebecca, son étrangeté qui m'avait terrorisé autant que grisé m'étaient devenues familières à l'excès. Je la prévoyais en tout, elle avait perdu la faculté de me surprendre : les parades, les ruses, les coquetteries dont elle usait et qui m'avaient ensorcelé n'avaient plus cours sur moi. La monnaie du sortilège crevait comme un ballon, révélant le maigre squelette d'un truc. Et puis sa beauté taciturne n'éveillait plus rien en moi : ses mines, ses soupirs, ses bouderies, tout ce qui m'avait tenu en haleine maintenant m'exaspérait.

Rebecca était compliquée parce qu'elle explorait avec minutie tous les recoins de cette cage qu'elle nommait sa passion pour moi ; mais en retour elle n'était pas complexe ; n'explorant que ces recoins elle n'avait aucun mystère à m'offrir. Au lieu d'un élan créateur, elle se desséchait dans l'analyse malheureuse de ses sentiments.

On pardonne tout à un être, lui disais-je, sa vulgarité, sa bêtise, sauf de s'ennuyer avec lui.

En amour, contrairement à l'administration, le principe d'ancienneté est un handicap, l'avancement s'effectue à l'envers. De fait je m'embêtais à périr avec elle. Et l'ennui est un compagnon qu'on ne supporte que dans la solitude : parce qu'on ne veut pas de témoins à ces instants maudits, de peur d'en acquérir une image infamante. Près de Rebecca, les journées me semblaient d'une longueur insupportable : chacune d'elles ramenait les mêmes angoisses, les mêmes moments lourds qui nous accablaient à heures fixes avec une régularité écrasante. Avez-vous remarqué combien l'absence d'événements nous désagrège par son calme autant que les plus violentes catastrophes ? Pour échapper au ménage, je courais les cafés, les cercles, les conférences, je m'inventais des colloques, des rendez-vous, chaque minute arrachée à notre vie commune m'étant une source de délectation. La monotonie des soirées pareilles, des mêmes amis retrouvés aux mêmes tables autour des mêmes propos, égrenant les mêmes projets avortés avec une même absence d'enthousiasme, les mêmes plaisanteries éculées dans les mêmes bouches, tout cela m'écœurait au point de me donner de véritables désirs de fugue animale, adolescente. Je n'en pouvais plus de mener cette vie régulière et vide, si banale, si légère et si lourde en même temps, et je désirais quelque chose de dynamisant, d'agité, de vivant, sans savoir quoi. Ce piétinement de petits faits, ces anecdotes minables envoûtaient Rebecca : elle appelait cela les « péripéties de la vie à deux ».

Je reconnaissais bien en elle le symptôme du couple : moins l'on vit, moins l'on a envie de vivre. Les époux sont deux siamois pour qui l'univers, si paisible soit-il, est encore rempli de menaces et de désordres : aussi ne s'autorisent-ils qu'une audace : allumer le poste, enfiler

131

leurs chaussons, passer à table. Pour moi la véritable angoisse résidait moins dans la certitude d'avoir à mourir que dans l'incertitude d'avoir vraiment vécu: je haïssais cette atmosphère de pleutrerie cultivée qui émanait de notre duo, ce n'était plus monsieur et madame, c'était Poltron et Poltronne. Nous l'avait-on assez rabâché que l'amour portait en lui un principe hors la loi, un sens irrépressible du délit ? Je n'y voyais que sagesse, conformisme, courbettes, frousse déguisée du beau nom de sentiments et aux passions légales je ne donnais pas le nom d'amour. Je savais que la devise des petits-bourgeois : « mon verre est petit mais je bois dans mon verre », est celle-là même des amants qui ne restent ensemble qu'à défaut de trouver mieux. Il n'est pas un tendre époux, pas une chaste bienaimée qui n'abandonnerait sur-le-champ son maigre bouillon monogame si on lui garantissait abondance de partenaires et renouvellement du matériel amoureux. Les rares exceptions à cette règle confirmant le principe général. Vous-même, Didier, vous aimez Béatrice, mais si une autre, plus belle, plus intrigante, se proposait, ne la quitteriez-vous pas sur-le-champ ? Vous protestez ? Alors expliquez-moi votre attirance pour Rebecca...

Qu'est-ce qu'un couple? Le renoncement à l'existence en échange de la sécurité, le visage sans attrait de l'amour légitime. Ce huis clos qui banalise les êtres les moins doués pour la banalité, alourdit les plus mercuriels. Je voyais autour de moi les individus s'abîmer dans la médiocrité, vieillir en se résignant, abandonner un à un les élans de leur jeunesse pour les marais du fonctionnariat conjugal. Je voyais des hommes audacieux, des femmes libres que la vie à deux avait démobilisés, affadis, dont la cohabitation avait émoussé l'acuité. Je haïssais le mimétisme des concubins, leur docilité à adopter les défauts du conjoint, leur complicité gluante et jusqu'à leur trahison qui les unit encore. Il n'était pas un seul de mes amis qui échappât à cette mièvrerie, qui ne fût l'exemple grimaçant de ma condition.

Je ne pouvais échapper à la certitude que la vraie vie est ailleurs, loin des misérables expédients du ménage et des vertueuses niaiseries de l'amour fou (qui est en fait le summum de la tiédeur puisqu'il vise à nous rendre supportable à perpétuité la compagnie de la même personne). Penser qu'il me faudrait traîner cette flasque liaison dans les ténèbres sans fin d'une existence gâchée me hérissait. Je voulais quitter Rebecca à la manière du serpent : en lui laissant entre les mains une dépouille qui n'était plus moi, un Franz qui avait mué, en lui abandonnant une apparence que je n'habitais plus.

Rebecca se désolait de mes intentions, me sentant toujours plus proche d'aimer n'importe qui plutôt qu'elle. Toute autre femme à cette époque me semblait préférable du simple fait qu'elle était autre. Certains soirs où je croupissais dans la tôle conjugale, je me disais : on doit me voir, je dois circuler, je ne peux rester cloîtré comme un vêtement de bonne coupe relégué dans un placard. Je me remis comme avant à suivre les filles dans la rue, le métro, à les aborder, ébloui par leur visage, chacun d'eux étant comme la clef d'un monde vertigineux. Rebecca ne comprenait pas ma volte-face : tenant sa beauté pour acquise une fois pour toutes, elle ne cessait de se comparer aux femelles que je convoitais, et donc de les déprécier.

— Si tu dois me tromper, que ce soit au moins avec quelqu'un de plus beau que moi !

Je refusais ce marchandage :

— Je ne te vois ni belle ni laide mais toujours la même, et cette constance m'afflige. Toutes les femmes de la terre seraient même des mochetés, comme tu le souhaites, que je les courtiserais par simple plaisir de changer, de goûter à d'autres peaux. La vraie beauté est une jouissance du

133

nombre, elle réside dans la diversité des carnations, la multitude des visages ; les plus belles femmes sont celles qu'on ne connaît pas encore.

J'aurais donné mes deux années de vie commune pour un seul de ces instants suffocants où une étrangère qui vous dédaignait jusqu'alors et que vous fixiez depuis de longs moments se met à vous regarder, engage avec vous le duel voluptueux des prunelles. Puis quand cette ravageuse vous sourit, il sort de cette bouche, soudain ravissante, une ineffable parole, quelque chose d'invraisemblablement suave, de doux à faire sangloter : l'appel du romanesque même.

La plupart des hommes voient passer des femmes qu'ils désirent, n'auront jamais, et s'y résignent ; moi, je ne me consolais pas de ces passantes fugaces, chacune d'elles m'était une blessure qui n'en finissait pas de saigner : j'avais mal aux occasions perdues comme l'amputé à son bras manquant. J'allais par les boulevards, les boîtes et les cafés avec une avidité hagarde, une gourmandise d'enfant pour tous les corps dont je humais la chair palpitante comme un animal sent la proximité de l'eau ou de la proie. Je me sentais affamé, pareil à un bagnard qui n'aurait pas goûté à l'amour depuis vingt ans. Pour moi, Rebecca n'avait plus ni formes ni charmes, elle était hors de l'humanité sexuée, mannequin d'avant la division de l'être humain en masculin et féminin.

Mes amis me reprochaient souvent de sortir indistinctement avec des femmes disgracieuses ou contrefaites. Certaines l'étaient en effet. Non que je sois moins sélectif, moins attiré par la joliesse que d'autres. Mais j'étais si flatté qu'une personne du sexe puisse s'intéresser à moi que le pire laideron, pourvu qu'il me regardât, acquérait alors la grâce d'une reine ; et surtout, je l'ai dit, en chacune je saluais l'irruption du hasard, sacrée par cela même qu'elle était nouvelle. Je ne vénère que les rencontres, ces épiphanies de la vie profane, qui transfigurent l'existence en la déchirant.

A cette époque, préparant une thèse sur les virus de l'hépatite, je travaillais beaucoup, et Rebecca me volait les quelques loisirs restants. Afin de me garder un peu d'imprévu, je lui mentais. J'avais toujours menti, enfant, pour sauvegarder ma tranquillité, adolescent pour prolonger les bénéfices de l'enfance, adulte par habitude et nostalgie. Dire la vérité me semblait un désastreux manque d'imagination; je mentais à tout le monde, à tout propos, sans raison, pour voir, pour le plaisir de désorienter, d'avoir des secrets, de bâtir des fictions crédibles. J'en tirais une joie d'autant plus forte que le couple moderne vit sur un impératif de sincérité qui exige des deux comparses une franchise complète. Moi, je préférais tromper Rebecca, l'aveu systématique ayant, à mes yeux, l'horripilante faculté d'aplatir la vie. Le pire vaudeville pourvu qu'il me fût sujet à émotion m'était préférable à la fruste convention de loyauté d'un couple exemplaire. J'aimais la fraude parce qu'elle est l'arme des faibles, des femmes et des enfants qui se ménagent ainsi un espace de liberté dans un monde qui ne leur en accorde aucune. Je m'octroyais donc toutes les privautés et, par mes entourloupettes, cumulais l'ensemble des rôles, protégeant mes plaisirs sans mettre en danger mon côte à côte.

Bien sûr, je courais les catins; je raffolais de leur côté pâturage, animaux frémissants de vie, les seins demi-nus, les cuisses dégagées, le bas-ventre harnaché de dentelles et de jarretières, appelant les passants à un plaisir grossier en des antres obscurs. Je les appréciais par épicurisme, amour de la vitesse, moyen rapide d'avoir le plus de corps en le moins de temps possible. Payer ne me servait qu'à écourter la distance entre mon appétit et la satisfaction de cet appétit. Je jouissais de ce luxe, faire l'économie de la

135

séduction et bénissais l'argent qui, en corrompant les individus, les ouvre à des combinaisons érotiques incomparables. Payer me permettait en outre de goûter à tous les types de femmes dont je raffolais et que la vie ne m'offrait qu'à petites doses. Concentration de visages et d'anatomies, la prostitution présente cet aspect onirique que seuls détiennent les grands rassemblements : volupté des yeux et de l'exposition avant toute autre joie. Dans le salariat érotique, je célébrais la grande épopée de l'amour, presque indépendante du sexe, mettant sur notre chemin des êtres que la ségrégation sociale ne nous permet jamais de croiser. Je m'encanaillais par goût des mélanges : le bordel est, avec le métro, l'un des derniers lieux publics à rapprocher des univers et des conditions différentes. Dans le ghetto des quartiers chauds cessent pour quelques instants les ostracismes des quartiers ordinaires. Loin de doucher mon enthousiasme, le côté parfois sordide du métier me fascinait outre mesure comme s'il conférait une autre dimension à un acte somme toute enfantin. Ce n'était pas tant le plaisir que je guettais alors mais ses possibilités. Je me mêlais à la foule des pauvres hères qui guettent aux portes cochères, avec des airs de chien battu, la virago souriante qui les videra d'un coup de reins. Je frôlais avec un trouble profond les vieux murs des hôtels de passe comme s'ils étaient imbibés de la luxure triste qu'ils abritent. La passe était pour moi un rite de complicité entre producteurs indépendants, une expérience de petit flambeur qui avait la rue pour théâtre et la dépense comme principe. Rôdeuses ou messalines, l'indifférence, voire le mépris, de ces femmes à notre égard révélait leur essence surhumaine : j'étais fasciné par leur goût des enfants et des chiens, leur sentimentalisme excessif, leur tutoiement républicain qui institue entre chaque client la démocratie de l'amour vénal.

— Tu ne respectes rien, disait Rebecca, pas même nos plus beaux souvenirs !

— Tu as raison, nous ne pouvons plus guère nous rencontrer que dans le passé. Alors évoquons ces heureux souvenirs : les centaines de repas pris ensemble dans des centaines de restaurants, d'hôtels, d'auberges, de snacks, les centaines d'eaux minérales et de bouteilles de vin bues ensemble, les centaines de plats commandés, de recettes, de cafés dégustés. Les voilà nos souvenirs : un gigantesque menu, un almanach de Gault et Millau. Beau palmarès pour une vie !

Quand nous marchions dans la rue, la dépassant d'une tête, j'allais toujours à grands pas comme si j'étais pressé de la fuir. Elle s'essoufflait à me suivre, à me rattraper :
— Alors, Courte-sur-pattes, lui criais-je, tu avances ! Ce que tu es petite !

Quant à nos excès érotiques, je les dénonçais maintenant comme une preuve de recroquevillement sur la cellule conjugale. Notre intimité abjecte de l'année dernière, disais-je à Rebecca, n'avait son origine que dans notre peur du dehors. Nous jouions avec nos excréments pour mieux nous couper du monde, nous suffire à nous-mêmes. Nous avons poussé le goût du renfermement jusqu'à ses dernières conséquences. Que reste-t-il à faire à deux sinon se renifler, rire stupidement de ses pets, épouser le pauvre rythme de sa machinerie organique. Voilà où conduit l'érotisme conjugal ; à un immense goût de la merde par peur du grand large.

Rebecca, je le compris, allait bientôt passer au rang de mes anciennes amours, passions affaissées, coucheries rances, vieilles délices voûtées toutes interchangeables. Ma mémoire ne caressait avec plaisir que les aventures éphémères, scintillant de tout l'éclat de leur brièveté. Mais les relations plus longues, ruinées par les rancœurs et la muflerie, ne méritaient que l'oubli, l'amnésie bienheureuse.

137

Et puis, à tous les déboires que procure une vie amoureuse normale s'ajoute celui-ci, imparable, universel : ne pas plaire à tout le monde. Aussi beau, charmeur, intelligent que vous soyez, il y aura toujours une femme pour haïr votre talent, votre réussite et vous préférer des êtres moins chanceux ; ou bien, perdant et malheureux, d'autres femmes pour vous reprocher cette laideur, cet échec. Plaire est donc négatif, je ne plais à telle ou telle que de laisser la plupart indifférentes. C'est une expérience déchirante que d'être adoré par quelques-uns, détesté par d'autres et négligé par une majorité. Ce peuple qui n'a pas d'yeux endommage vos plus belles conquêtes. Ainsi de Rebecca : je la connaissais depuis longtemps : étais-je encore séduisant ? Quelque bien qu'on dise de nous, on ne nous apprend rien de nouveau et il faut toujours d'autres confirmations, d'autres certitudes elles-mêmes vacillantes. Être le premier dans le cœur d'un homme ou d'une femme est une privauté dérisoire. Suis-je le roi parce que je suis ton roi ? Il y a donc maldonne : l'affection qu'un être vous porte rend perplexe à double titre : on s'étonne d'abord que tous ne vous aiment pas avec la même ardeur ; puis on en vient à soupçonner la femme qui vous adore de quelque faiblesse. Si elle m'aime c'est qu'elle est perdue : qui pourrait apprécier un individu aussi démuni que moi sinon quelqu'un de plus égaré trouvant son compte à s'accrocher à l'épave que je suis ? De fait, la tendresse de Rebecca, loin de la revaloriser à mes yeux, me poussait à rechercher l'estime de nouvelles femmes à l'infini.

En cette Judéo-Tunisienne, j'avais cru marier l'Afrique du Nord et la terre de Sion. Mais son judaïsme ne représentait rien, ni patrimoine ni fidélité à un territoire spirituel, et je la trouvais aussi vulnérable et démunie que moi : en un mot Française à 100 %. Je l'avais enfermée dans le ghetto de sa singularité et ne cessais de la confronter à cet idéal pour mieux enregistrer ses défaillances. A mes yeux, elle avait usurpé un titre auquel elle n'avait pas droit : celui de membre du Peuple élu. A cela, elle me répondait avec colère :

— Tu aimes tellement les Juifs en général que tu n'es pas capable d'aimer une Juive en particulier. Je vomis ton amitié pour la maison d'Israël, elle n'est qu'un prétexte pour me persécuter. Ton père était antisémite par haine, tu l'es par amour : il reprochait aux Juifs de l'être trop, tu me reproches de ne l'être pas assez. Je revendique le droit à une identité ambiguë, je revendique le droit à être compliquée.

Elle avait raison bien sûr ! J'étais de ces chrétiens qui, pour expier un passé encombrant, ont déifié l'Entité judaïque au point d'accuser de trahison tout Juif qui ne s'y conforme pas. En exigeant de chaque Israélite qu'il exhibe sa différence comme un fétiche, nous nous montrions aussi sectaires que nos pères qui à l'époque exigeaient d'eux qu'ils la dissimulent. Mais, en ce temps-là, tout à mon aveuglement de goy, j'étais imperméable à ces arguments.

Une chose, et une seule, me chagrinait : la quitter ferait plaisir à mes parents. Ils croiraient à une victoire du bon sens français quand il s'agissait pour moi d'une défaite du système conjugal. Un événement fort singulier effaça mes scrupules. En ce temps-là, mon père, qui effectuait des recherches généalogiques sur notre famille, découvrit par hasard, au milieu du XIXᵉ siècle, le mariage à Aix-la-Chapelle d'un de nos ancêtres avec une demoiselle Esther Rosenthal, Juive polonaise dont il avait eu quatre enfants, le cadet n'étant rien d'autre que son arrière-grand-père direct. Cette goutte de sang sémite dans notre dynastie aryenne lui monta au cerveau : il fit une congestion qui lui fut fatale. Je me souviens de ses derniers mots en service de réanimation :

— Franz, je me suis trompé toute ma vie : les Juifs ont raison, ils sont les vrais précurseurs de l'Europe moderne.

139

J'avais haï mon père pendant des années; la haine s'était muée en mépris à l'âge d'homme, le mépris en pitié quand ce despote s'était révélé un vieillard fragile et peureux. Mais après ces derniers mots, cet homme redevenait mon père. Et je baisais les mains de ce Juste que la Révélation avait frappée au seuil du trépas. Et je pleurais de désespoir, quand d'une voix très basse d'agonisant, il murmura:

— Les salauds, c'est les Arabes, avec leur pétrole.

Je n'aimais plus Rebecca et m'en désolais. Rassasié, j'appelais en vain sur moi une passion qui m'avait fui. Je n'éprouvais plus, ne tremblais plus, ne jalousais plus, et ce calme me désolait. Je me représentais Rebecca dans les bras d'autres hommes, les embrassant, recevant leurs caresses, leurs hommages, et ces images me laissaient insensible. Y a-t-il pire déchirure que de sentir les feux de la passion se retirer de soi comme une mer se retire d'une grève à marée basse? J'avais des coquetteries d'homme riche: oh, me disais-je, souffrir par une femme, être le mal-aimé, comme cela doit être bon! Je voyais les yeux de Rebecca m'implorer muettement, me demander des explications rationnelles alors qu'il n'y en avait pas. Mon désir de rupture était aussi arbitraire que mon coup de foudre pour elle deux ans plus tôt.

— Mais dis-moi, dis-moi ce que je t'ai fait, si je t'ai vexé, si je t'ai blessé?

— Ce que tu m'as fait? Rien: tu as le tort d'exister, tout simplement.

Pour un rien, un regard, un lapsus, un numéro de téléphone griffonné, un papier oublié dans ma poche, elle me faisait des scènes de jalousie grotesques, insipides, répétées. Sa colère était une tentative magique pour simplifier une situation qu'elle ne maîtrisait pas. Je subissais la censure quotidienne de la maîtresse légitime qui épie votre chemise, votre lingerie, détecte les moindres cheveux, fouille vos poches et vos carnets, rappelle les numéros qu'elle y trouve dans l'espoir de tomber sur une voix féminine. Elle s'efforçait de reconstituer des scènes, des connexions, des réseaux, avec toute la minutie d'un détective. Car il n'est pas policiers plus implacables les uns envers les autres que les amants. Dans mon agenda, elle barrait les numéros ou les adresses suspectes pour que je ne puisse plus les relire. A l'hôpital, elle tenta même de soudoyer une infirmière pour me placer sous surveillance ! Tout étranger pour elle devenait une personne a priori équivoque et donc dangereuse. Et plus elle se montrait intraitable, plus elle s'enfonçait dans la maladresse. Dans la rue, elle était une espionne attachée à mes pas, guettant la moindre silhouette de femme pour l'évaluer avant moi, la déprécier. « Inutile de te retourner sur celle-là, grommelait-elle, c'est un vrai boudin. » Pour la faire bisquer, je m'amusais à fixer intensément des petits vieux, des vieilles dames, des bébés, ce qui la désorientait, l'obligeait à rester constamment aux aguets et pour finir lui infligeait de véritables torticolis. Mon papillonnage l'agaçait : dès qu'elle avait identifié une complice, j'étais déjà avec une autre, si bien que, croyant tenir la proie, elle n'avait que la dépouille. A travers ses investigations, elle cherchait une rivale en chair et en os, unique et solide, à laquelle elle eût pu se mesurer, se confronter. Mais je n'abandonnais pas notre couple pour en reformer un autre, j'étais toujours ailleurs, toujours en avance d'une conquête sur elle. Je le lui disais avec un défi puéril : je ne te quitterai pas pour une femme en particulier mais pour toutes les femmes.

— Tu m'aimes, lui disais-je, est-ce que cela me regarde ? Souffre en silence : la discrétion est la forme moderne de la dignité.

Le rythme des querelles s'intensifia jusqu'à devenir notre pain quotidien : nous pouvions compter les heures dans une semaine où nous ne nous étions pas disputés. Mon appartement résonnait des échos incessants de nos empoignades. Les journées entières se passaient au milieu de crises déchirantes, tout nous devenait effroi et souffrance, et je craignais par-dessus tout les week-ends qui nous laissaient quarante-huit heures d'affilée en vis-à-vis. Chaque dispute était suivie de longues bouderies conclues par des rabibochages aussi bâclés que fragiles. La réconciliation: telle est l'obscénité de la scène de ménage! Qu'après tant d'invectives, de horions, de malédictions, les conjoints se retrouvent frais, dispos, comme si rien ne s'était passé, voilà l'ordure, l'abject trou de mémoire. Bientôt, même ces raccommodements m'exaspérèrent: j'étais las de ce scénario réglé comme un ballet d'horloge, de toute cette quincaillerie coléreuse, plus codée que l'étiquette du roi à la cour. Ces excès de violence auraient dû constituer l'exutoire à une tension trop forte. Mais l'exutoire devint la passion elle-même, la scène notre régime normal et l'excès notre mode affectif.

Rebecca me disait:

— Tu fais ta puberté à trente ans, tu n'es qu'un obsédé sexuel.

— Et alors? Une telle obsession n'aurait rien de vulgaire. Mais tu fais fausse route. Je suis quelqu'un qui ne veut renoncer à rien, se refuse à choisir. Tu me lances au visage comme un crachat mon don-juanisme. Je l'accepte. Don Juan aspire au don d'ubiquité: il veut être l'amant passionné d'une seule et le papillon volage de toutes, il veut brûler pour la laide et brûler pour la belle, il aspire à embrasser dans une seule existence la totalité des destinées possibles. C'est pourquoi il est un héros de l'impatience, pas un militant du plaisir. Tu as des rêves de grisette. Tu aspires au bonheur d'un foyer stable, je n'apprécie que de faire nombre avec mes partenaires. Tu souffres de mon libertinage, je souffre des tyrannies de ta sentimentalité. Au lieu de nous accabler, reconnaissons nos penchants divergents et, de cette diversité, tirons les conséquences logiques.

Rebecca et moi formions ce duo hétérosexuel standard que vous voyez partout dans les parcs, les cafés, les dancings, les yeux humides, les mains sèches, le derrière savonné, le sexe toujours prêt à prouver son attachement, n'aimant pas à s'encombrer d'enfants ou de vieillards; bref, la parfaite coquille close. Je contemplais mon acariâtre moitié qui me proposait à chaque heure du jour et de la nuit d'échanger mon souci exclusif de moi-même contre un égoïsme à deux où nous ferions bloc contre tous! Ah! le bel idéal blindé, la splendide incarcération dans le coffre-fort matrimonial! Les événements de la vie publique, les grands drames qui secouaient le monde ne nous atteignaient plus que ouatés à travers notre cocon et donc ne nous atteignaient pas. Nous avions tissé autour de nous une tunique solide qui nous protégeait de l'extérieur, et Rebecca maintenant voulait en élaborer une seconde. Pour elle, l'univers se réduisait à une poignée d'êtres humains loin desquels elle s'étiolait. Elle ne se sentait pas emmêlée à quelque chose de plus vaste. Elle ignorait les enjeux fondamentaux de l'époque, vivait enfoncée dans ses problèmes personnels, dans l'effroyable pesanteur de sa frivolité.

On ne supporte la vie à deux qu'en la dénigrant, seul moyen encore de l'embellir. Longtemps, la médisance me tint lieu de distraction : dire du mal de Rebecca, la déchiqueter sans fin devant mes amis me retenait de la quitter, suffisait à liquider mes humeurs; de la trahison comme substitut de la désertion. Un dimanche après-midi, nous avions eu des mots comme à l'accoutumée, je sortis acheter un paquet de cigarettes. A mon retour, elle n'était plus là : je fouillai nos deux pièces, l'appelai : rien. Embêté à la perspective d'un long après-midi solitaire, je contactai un ami au téléphone. J'épanchai dans son oreille complaisante tous mes griefs contre Rebecca, insistai sur le délabrement de mon désir pour elle, et, avec cette forfanterie indécrottable des garçons, lui contai quelque fredaine survenue deux jours avant. Après un quart d'heure de conversation, nous convînmes de nous retrouver dans un café et je raccrochai.

C'est alors que Rebecca jaillit du lit défait : elle s'était cachée sous l'édredon, se confondant avec lui. La révélation d'une certaine vérité de moi-même qu'elle soupçonnait mais n'osait croire fit sur elle l'effet d'un révulsif. Toutes griffes dehors, elle se mit à hurler comme un putois, commençant à renverser chaises et objets selon son habitude. Je crus qu'elle allait m'arracher les yeux mais elle fut plus habile. Avec une fureur mal contenue, elle exigea de m'accompagner à mon rendez-vous ; n'en devinant les motifs, j'acceptai, me jurant de rester sur mes gardes. A mon ami stupéfait de la voir, elle expliqua d'abord son stratagème puis lui dit :

— Je sais que Franz te fait des confidences très intimes sur moi. Tu serais peut-être intéressé d'entendre ce qu'il me dit sur toi.

Or il se trouvait qu'avec ce camarade, médecin comme moi, nous étions en situation de rivalité professionnelle au sein de notre service, chacun briguant le meilleur poste, la meilleure place dans l'estime de notre professeur. S'ensuivait une concurrence certaine qui se déversait tantôt par la plaisanterie, tantôt par la rancœur, et dont nos petites amies n'ignoraient rien. J'avais beau protester de ma bonne foi, mon congénère se montrait curieux de savoir ce que je débitais dans son dos. Rebecca, très en verve, ne lui épargna pas un bouton de guêtre de mes calomnies sur lui, depuis son physique malgracieux jusqu'à sa naïveté sexuelle en passant par son tempérament de flatteur. Au fur et à mesure de ces divulgations, il pâlissait, certain qu'elle ne pouvait inventer des détails aussi précis. Au bout d'une heure, il se leva, blême et nous quitta sans mot dire.

Cet après-midi-là, je me fis un ennemi mortel et aucune des injures dont j'agonisais ensuite Rebecca ne put me consoler de la perte de cet ami.

— Dis-moi, lui demandais-je, en trois ans d'existence, quelles portes m'as-tu ouvertes, qui m'as-tu présenté? Des coiffeuses, des vendeuses, des boutiquières, des retoucheuses, des mannequins, des stylistes, des fripiers, des shampooineuses, des photographes, des pédicures, des esthéticiennes; les voilà tes relations, tout le menu peuple du futile et du vain, la piétaille de la mode et de l'apparence.

Bien sûr, nous aurions pu opter pour les solutions nobles. Puisque nous mourions d'un face-à-face excessif, il eût fallu prendre nos distances, sacrifier aux prestiges de l'indirect, espacer nos visites. Mais plus nous raréfiions nos entrevues, moins j'avais envie de retourner près d'elle. Je savais qu'il est plusieurs ruses pour sauver ou prolonger l'union : choisir le déchirement, risquer l'amour de l'autre, l'aider à retrouver son épaisseur. Nous aurions pu nous livrer en orgie à foule de poursuivants et par là consolider le contrat, mimer une perte afin de mieux nous rejoindre. Ces options souffraient de n'être que formelles et d'entretenir un compromis dont je ne voulais plus. Je vomissais la monogamie sous toutes ses formes, libérale, partouzeuse, classique, émancipée, conciliante, douce, et n'aspirais qu'à m'en délivrer. Et puis quoi, avec ces accommodements, nous aurions traîné quelques années de plus, charriant nos rancœurs, conjuguant ménage et libertinage, nous acheminant vers une issue fatale d'autant plus amère qu'on l'aurait mieux différée.

Les choses traînaient cruellement. Plus de six mois avaient passé. Il fallait en finir. J'eus un sursaut de courage. Je dis à Rebecca :
— Quittons-nous avant qu'il ne soit trop tard. Quittons-nous au nom de l'histoire que nous avons eue ensemble et

dont nous ne sommes plus dignes. J'espérais que tu prendrais l'initiative de la rupture : tu n'en as rien fait. Je dois m'atteler seul à cette pénible tâche. Comprends-le : nous sommes allés trop loin ; le poids de nos injures, de nos bassesses pèse trop lourd, il n'est plus question de réparer ou de payer, il faut crever l'abcès et nous séparer. Tu m'aimes encore : n'attends pas de ne plus m'aimer ; si tu pars au bon moment nous souffrirons moins tous les deux. Aide-moi à me délivrer de toi, rends-moi la dignité que je perds en te dégradant. Vivons chacun nos fêlures respectives sans les aggraver l'une par l'autre.

Elle me répondit :

— Je veux vivre comme tout le monde près d'un compagnon qui m'entoure, je veux des enfants, un point c'est tout. Je t'ai donné ma substance et désire te consacrer ma vie entière.

— Ne me consacre rien, je te prie. Je ne veux pas de ton sacrifice. Je le hais par avance pour les intérêts que tu en exigerais un jour ou l'autre. N'attends pas de la reconnaissance de ma part.

— Je me suis mal exprimée, Franz, j'ai beau être malheureuse avec toi, je resterai car je ne désespère pas de te changer.

— Ne rêve pas, d'autres l'ont essayé avant toi qui s'y sont cassé les dents. Un sorte de grand obstacle ruine régulièrement mes entreprises sentimentales. Dans mon élan vers toi, j'avais eu le parti pris d'oublier toutes les femmes que j'avais connues et de réussir ce que j'avais raté avec elles, un amour fou qui dure. La merveille a tenu deux ans. Aujourd'hui, nous payons d'avoir voulu renflouer une illusion. Le monde est plein d'agitation : les hommes, les choses respirent, remuent, ils forment une longue perspective, désirable, précieuse à laquelle j'ai envie d'être mêlé.

— Franz, tu analyses trop pour être vraiment sincère. Mais, puisque tu ne veux plus de moi, je m'incline.

Les larmes aux yeux, Rebecca réunit ses affaires et partit. J'avais beau ne plus l'aimer, j'étais ému. La porte refermée sur cette compagne qui s'évanouissait déjà dans le passé, je pus me croire libre. Le lien de fer était rompu, la chaîne, détendue, traînait à terre; enfin je me reposais, frappé d'une stupeur nerveuse. Mais la chaîne allait se tendre à nouveau violemment et nous envoyer une secousse telle que nous nous sentirions à jamais attachés l'un à l'autre.

Le lendemain, Rebecca était de retour et me dit :

— Je ne peux vivre sans toi : couche avec toutes les femmes, mais garde-moi ici.

J'aurais dû être sans faiblesse. Mais cette fille avait l'obstination muette des humbles contre laquelle on ne peut rien, elle m'usait par sa résistance passive, et une certaine lâcheté me la fit accepter à nouveau. Cette fois, j'étais bien décidé à me conduire sans scrupules : il s'agissait d'une guerre. Puisqu'elle ne sentait pas l'enfer conjugal, j'allais lui faire toucher du doigt l'enfer tout court.

Je réfléchis aux meilleurs moyens de l'humilier, et les classai par ordre de six : le sexe, la race, la classe sociale, le physique, l'âge, l'intelligence. D'emblée, j'éliminais le sexe, la race et l'âge, humiliations trop vagues pour toucher une personne précise. Rebecca, par exemple, attendait avec un espoir inquiet que je la traite un jour de « sale juive », insulte où elle aurait trouvé confirmation de mon ignominie. L'idiote! Elle eût voulu que j'abîme la seule chose que je respectais en elle : son judaïsme! Moi qui cherchais des injures efficaces je me fusse ridiculisé en lui adressant celle-là : c'était l'innocenter pour accabler son peuple; c'était trop l'honorer que de la confondre avec une communauté prestigieuse. Comprenez-moi : le racisme est bête, il attaque la collectivité dans l'individu et commet une double erreur : il laisse indemne l'offensé, et provoque la solidarité du peuple auquel il appartient, il rassemble quand il faudrait diviser. Dans l'entreprise de démolition

147

où j'étais engagé avec Rebecca, je travaillais à un niveau autrement plus subtil et opérant : j'attaquais ses fibres les plus intimes, à savoir son intelligence que je mettais en doute et son physique que je critiquais, précieux trésor d'une femme qui a fait sien l'impératif moderne de nos sociétés d'être visibles avant tout. A cela, j'ajoutais la condition sociale, bon thème de vexations dans notre époque de reflux qui a restauré l'arrivisme, la hiérarchie des classes et des fortunes. Bref, je choisissais tous les terrains qui ne pouvaient donner lieu à une réponse politique ou idéologique, je frappais au ventre mou de la fragilité personnelle. Je voulais Rebecca absolument démunie devant sa souffrance, réduite aux dernières extrémités.

Quant à la méthode, j'optais pour l'inconséquence : je devais briser autour d'elle toute certitude, la faire vivre dans la peur et l'angoisse, la sentir se tendre et se consumer peu à peu, et pour cela combiner l'attaque et la surprise, soit prendre l'initiative, l'éreinter sans relâche, n'être jamais là où elle m'attendait (au besoin même faire preuve de clémence quand elle redoutait de la sévérité et inversement). Afin qu'elle ne tienne rien pour acquis, pas même le café que nous prenions ensemble, que tout, jusqu'à l'air qu'elle respire, soit saturé de rebuffades, de haine et qu'elle sente suspendue au-dessus de sa tête la menace perpétuelle d'un contrordre, d'une brutalité inattendue. Mon but était de recréer autour d'elle le monde de terreurs archaïques où vivent les enfants battus. Je lui confectionnais sur mesure une existence de qui-vive afin qu'elle ne soit même plus l'aliment de ma colère mais un témoin méprisable et sans importance de ma quotidienneté.

Très vite, la maladie de n'être pas aimée étendit quelque chose de terne sur le visage de ma maîtresse, atténuant le relief de sa beauté, rendue maussade et inexpressive. Dès que son charme s'altérait, je le lui faisais remarquer. Elle

148

se précipitait devant une glace et se croyant disgracieuse finissait par s'enlaidir effectivement. Tel est le pouvoir de la méchanceté : elle façonne et déforme les individus. Mais quel talent cela demande! On ne se doute pas combien il est difficile d'être odieux; le mal est une ascèse comme la sainteté, il faut vaincre d'abord les préjugés d'une société toujours encline à la pitié, écraser sans relâche le peuple pâle des bons sentiments, avoir enfin un sens théâtral aigu, une connaissance psychologique de l'âme qui n'est pas donnée à tous.

Comble de malchance, ma pauvre maîtresse avait le tort de somatiser à l'extrême, se punissant dans son corps de nos affrontements. La moindre contrariété levait en elle des éruptions de boutons, de grosses plaques rouges qui mettaient des heures à disparaître et qu'elle allait cacher dans une pièce sombre. Par exemple, nous dînions chez des amis, gens de mon espèce, jeunes bourgeois aisés, haineux et « de gauche » bien entendu. Au début du repas, en catimini, je lui glissais de brèves remarques acides sur sa manière ridicule de se fagoter, son nez luisant, sa peau grasse, ses yeux rouges. La compagnie croyait à des murmures de tendresse et s'extasiait de mon attachement. Rebecca allait se lever pour pleurer et gardait ensuite à mon égard une attitude hostile. Ainsi chacun m'imaginait innocent et doux supportant une femme vindicative et coléreuse. Et je connaissais la suite : l'irritation n'allait pas tarder à faire sur la figure de Rebecca son vilain travail. Une grosse pustule naissait au milieu de la joue.

— Chérie, tu as un bouton sur le visage, m'exclamais-je à voix haute.

Rebecca pâlissait, passait un doigt tremblant sur la région attaquée, me traitait alors de « tête d'œuf » ou de « gueule de chameau ». Prenant la société à témoin, je m'esclaffais :

— Ce n'est tout de même pas ma faute si tu es vérolée,

tout le monde sait qu'il n'y a pas d'âge pour faire son acné.

Chacun s'esclaffait, les femmes surtout, des féministes bien sûr, trop heureuses de voir rabaissée une rivale qui n'était même pas de leur rang. Si vous aviez vu la tête de Rebecca à cet instant : livide comme une momie. En quelques secondes, sa beauté péremptoire dégringolait comme une pile d'assiettes. La conversation reprenait tandis qu'elle faisait grève de paroles, boudait dans son coin, cachant maladroitement sa joue avec une main alors que le mal évoluait, attaquait de l'autre côté, grimpait vers les tempes, étendait ses subtiles flétrissures jusqu'à la bouche et au cou. Rebecca était si paniquée, chaque fois que nous dînions à plusieurs, que l'allergie apparaissait même quand j'étais gentil, preuve que je n'avais plus besoin d'intervenir pour être efficient.

Et puis ma chère concubine était affreusement complexée devant cette humanité supérieure où je la traînais et dont le tapage distingué la fascinait. Nous l'avions baptisée « la Muette » parce qu'elle n'osait prendre part à nos conversations et se tenait, raide et silencieuse, sur sa chaise. Et toujours nous l'installions en bout de table, vers les cuisines, à l'écart de tous, puisqu'elle n'avait rien à dire. Et il ne manquait jamais une bonne âme pour lui faire remarquer sa timidité et l'enfoncer plus encore dans son mutisme. Car Rebecca pouvait bien me rendre fou de jalousie, m'écraser de ses vingt ans printaniers, il lui manquerait toujours cette culture bonne-bourgeoise, cette enfance rêveuse dans de grandes maisons un peu délabrées, elle qui avait, pour seule villégiature, la cour de son HLM, pour tout souvenir d'enfance le couscous du vendredi soir et comme unique bréviaire le poste de télévision. La pauvre, elle n'assurait pas : elle s'efforçait d'être au courant mais on sentait le savoir tout neuf, la peinture fraîche d'une connaissance fragile, hâtivement ingérée. Elle avait beau se vouloir d'une grande classe, elle était à jamais dépourvue de cette aisance des enfants de bour-

geois auxquels on a inculqué depuis l'enfance qu'ils ont raison d'exister. Et elle ne pouvait même pas compter sur la solidarité juive : sépharade et prolétaire, elle était dédaignée par mes amis ashkénases pour qui les considérations de fortune et d'éducation primaient sur les liens communautaires.

J'avais donc réussi ce prodige d'enlaidir Rebecca, de la vieillir prématurément.

— Comme tu es vilaine, comment ai-je pu tourner mes regards vers toi, j'ai honte d'être vu en ta compagnie, tu es laide et boutonneuse parce que tu es bête à l'intérieur de toi.

Rebecca me répondait avec douceur :

— Chaque tache sur mon visage est une de tes méchancetés. Si tu veux que je redevienne belle comme avant, arrête tes perfidies.

Les progrès du mal étaient foudroyants : en quelques semaines, ma jeune amie cumula toutes les maladies psychosomatiques imaginables, et devint une encyclopédie de symptômes. Elle souffrait d'anorexies, de migraines, de maux d'estomac, de troubles rénaux, de tachychardie, de colite. Maintenant, presque après chaque repas, elle allait vomir et se tordre de douleur sur un lit ; elle maigrit, s'affaiblit. Ses cheveux tombèrent, des cernes noirs mangeaient ses joues. Il ne lui restait qu'une alliée : les cigarettes dont elle faisait une consommation immodérée allant jusqu'à trois paquets les jours de grande tension. Cela lui donnait une haleine épouvantable, et la nuit je l'obligeais à dormir tournée, une gaze fixée sur la bouche. D'ailleurs, le chagrin, les crampes l'empêchaient de fermer l'œil. Je l'entendais soupirer, sangloter, et son malaise rendait plus douce ma volupté de sombrer dans le sommeil. Epuisée par ces longues insomnies, elle était continuellement malade, attrapant tous les microbes qui traînaient. J'étais son médecin et m'amusais à la tromper sur les médicaments, lui prescrivant des drogues inadaptées ou dangereuses : par exemple, je lui avais conseillé de l'aspirine pour enrayer un début d'ulcère alors que ce remède attaque la muqueuse gastrique et la ronge; les douleurs s'aggravant, un pharmacien indiscret, au hasard d'une conversation, lui éventa ma supercherie. Mais elle s'inclina et persista à faire appel à mes services.

S'il est une manière noble d'aimer l'autre jusque dans ses fragilités, il est une façon mesquine de l'affaiblir en insistant sur ses moindres failles. C'est ainsi que j'avais instillé en Rebecca le doute sur ses capacités, lui faisant miroiter l'échec de sa vie. Le soupçon avait pris comme une greffe et j'étais parvenu à lui faire croire qu'elle était une ratée, malgré son jeune âge. Dès le début de notre liaison, j'avais mis le doigt sur ses carences culturelles, linguistiques (elle n'avait même pas le bac); et loin de l'aider à en venir à bout, je les lui rappelais sans cesse comme un arrêt du destin. La peur de me voir la ridiculiser, quand elle parlait anglais, par exemple, ou se lançait dans une discussion « intellectuelle », la figeait dans la réserve, l'enracinait dans l'idée de sa propre infériorité. Je l'avais tellement traitée de gourde et d'ignorante qu'elle s'était engourdie et bloquée à jamais. Ainsi, tout empêtrée de ses handicaps comme d'un vêtement mal coupé, piétinait-elle dans les mêmes ornières. Sous couvert de déployer ses dons laissés en friche, je les enfouissais, le ressort de ma politique étant de sécréter la culpabilité dont je prétendais la délivrer.

De cette fille intelligente et vive, j'avais, à force de lui fouiller les entrailles, fait un être apeuré, un nain tremblant.

— Tu n'as pas le droit de me juger ainsi, de m'ouvrir le ventre, me disait-elle, c'est digne d'un flic, pas d'un amant.

Mais elle ne protestait que pour la forme. Que voulez-vous ? Son bonheur était de faire partie de l'inventaire de mes biens. Pour elle, je gravitais dans un ordre supérieur

152

qui coïncidait avec la vie tandis qu'elle-même, occupée à des fonctions subalternes, enchaînée aux basses régions de l'existence, n'en recevait que de pâles éclats. Elle confrontait son incohérence à mon orgueil, sa faiblesse à ma réussite. Femme, coiffeuse, fille de pauvres : trois humilités s'inclinaient devant mon statut d'homme brillant, aisé, cultivé. Elle avait intériorisé mes sentences ; l'ayant déclarée non instruite, idiote, soumise et incapable, elle s'était cramponnée à ces diktats comme à sa propre vérité.

Désormais, ma colère n'avait plus besoin de raisons pour éclater ni mon ressentiment de causes pour être définitif. M'exaspérait par-dessus tout chez Rebecca ce que j'appelais son côté « chasse d'eau », son air de chien battu, quand, frissonnante et reniflante, elle ponctuait chacune de ses phrases d'un sanglot contenu pour leur donner un accent douloureux. La martyre grimaçait, tentait de me faire honte par une légère humidité de ses yeux, un pli amer de la bouche. Je ne me laissais pas entamer par cette douleur qui me la rendait plus méprisable encore. Fouetté par ses larmes qui m'énervaient plus que tout dès que je les voyais près de couler, je la secouais avec rage, la battais, la giflais, lui demandais de me rendre la claque. Comme elle n'osait pas, je continuais à la meurtrir de mes poings fermés jusqu'à ce qu'elle tombe, le corps couvert d'ecchymoses. Elle s'affaissait avec un cri sourd et restait prostrée sur le sol. La tirant par les cheveux, je la forçais à relever la tête, pour découvrir dans ses yeux une soumission absolue. Cette folle se serait bien laissé tuer pour le plaisir de me perdre avec elle. Son esclavage prenait des proportions d'autant plus graves qu'elle y acquiesçait librement.

Cette femme qui m'aimait, cette femme qui m'avait aimé plus qu'aucune autre, je la saccageais comme j'avais saccagé les êtres qui m'avaient approché pour les punir de leur tendresse à mon endroit. Les autres étaient parties à temps tandis que Rebecca, en restant, consentait à sa propre démolition. Son aveugle docilité me persuadait qu'elle était née pour être victime. Hypocritement, je l'exhortais à la dignité, flétrissais son manque d'orgueil et d'amour-propre. Mais je persistais dans mes conduites abjectes. Rien de spectaculaire : une pression constante, quotidienne, qui travaillait à une seule fin : l'amener à se sentir coupable, qu'elle parle ou se taise, bouge ou dorme; afin qu'elle ne voie plus en moi qu'un juge en train de lui instruire un procès perpétuel. N'allez pas croire que je sévissais 24 heures sur 24. J'alternais selon les plus belles règles de la casuistique les instants de douceur avec les crises de fermeté. J'attendais que Rebecca atteigne un certain sommet de détente et d'espoir pour mieux la briser, jouissant de ces dénivellations soudaines qui hérissent les nerfs et déglinguent mieux qu'une scène les tempéraments les plus aguerris. Elle devenait un jouet que je désarticulais, un crabe auquel j'arrachais les pinces une à une pour voir comment ça fait. Et puis quoi de meilleur que de blesser une âme qui saigne déjà?

Ma maîtresse tomba enceinte; suite d'une copulation bâclée, un soir d'ivresse, où je l'avais saillie à la hussarde, l'ayant prise pour une autre. Elle voulut garder l'enfant et me le cacha d'abord. Quand je m'en aperçus et bien qu'il fût tard — deux mois déjà —, j'exigeai l'avortement. Ce retard lui fut fatal : une complication postopératoire fit entrer en elle un mal qui la débarrassa sans recours possible de la capacité de procréer. Le début de grossesse avait distendu les tissus du ventre et des seins : la peau avait lâché comme ces chemises bon marché qui ne résistent pas au lavage, des vergetures étaient apparues sur le buste et la ceinture abdominale. Cette adolescente qui avait âprement disputé aux autres femmes son esthétique parfaite s'en était vue dépossédée en quelques semaines. Résultat probant de sa nouvelle honte : elle ne se promenait plus toute nue dans l'appartement et dormait toujours couverte d'un pyjama ou d'une chemise.

Je ne savais qu'inventer pour lui nuire, j'additionnais les petites tortures : il ne faut pas négliger l'accumulation de cruautés insignifiantes qui épuisent mieux qu'un grand chagrin. Mes premières attaques avaient été brutales, écrasantes, mais Rebecca souffrait davantage de ces coups répétés, de ces petits électrochocs qui la désaxaient chaque fois un peu plus.

Ainsi, elle s'était mise à boire. Je l'encourageais dans son vice, lui achetant chaque soir une bouteille de whisky ou de vodka. Chaque fois, elle s'enivrait et s'endormait à même le sol, au milieu de ses vomissements et de relents de vinasse. Une nuit, dégoûté par son attitude, je lui brûlai les jambes en plusieurs endroits avec une cigarette. En certains points, je la lui enfonçai si loin que cela sentait la viande grillée. Si vous saviez la curieuse sensation de brûler un être inanimé : il souffre, grimace, mais l'abrutissement est trop fort pour le réveiller et vous jouissez à la fois de cette demi-conscience et de cette impunité. Le lendemain, je lui soutenais qu'elle s'était calcinée elle-même pendant sa saoulerie, et que j'avais même évité un début de feu dans l'appartement. Sans preuves, elle n'eut d'autres ressources que d'entériner ma version et de soigner ses plaies dont certaines ne disparurent jamais.

Une autre fois, elle avait pris un congé maladie d'une semaine pour une vétille. Vous savez que l'octroi d'un tel congé suppose que l'on reste chez soi en cas de visite d'un inspecteur. Un après-midi que je savais Rebecca sortie faire des courses, je téléphonai depuis mon cabinet à la caisse locale de la Sécurité sociale pour leur signaler la faute. Rebecca ne sut jamais qui l'avait donnée, reçut un blâme, perdit le bénéfice de ses allocations journalières et dut retourner dès le lendemain à son salon de coiffure.

Chose curieuse : les êtres malheureux attirent le malheur. Il pleuvait des misères sur Rebecca qui était déjà percluse de souffrances ; sa situation se dégrada sur le plan professionnel. Elle s'absentait trop, travaillait mal, et dans un état de prostration quasi permanente, s'effondrait parfois en larmes au milieu d'un shampooing, répondait à peine aux clientes, se montrait irritable à l'extrême avec ses collègues. Ses employeurs songeaient à la licencier et lui avaient envoyé déjà deux avertissements. Je profitai de sa situation précaire pour lui porter le coup de grâce : je lui volai son salaire d'un mois, poussant même le cynisme jusqu'à lui offrir une paire de boucles d'oreilles en or pour la consoler. Pas un instant elle ne se douta de la vérité car elle dirigea ses soupçons vers sa meilleure amie avec qui elle avait pris un thé le jour du vol. Elle dut emprunter son mois à ses patrons ; mais attristée par cette perte, coiffant sans plaisir, se vengeant de son infortune sur les crânes, elle fut renvoyée peu après pour avoir oublié sous un séchoir une cliente dont la chevelure s'était à moitié carbonisée. Ce licenciement marqua une date dans la détérioration de nos rapports : au lieu de tempérer mes reproches, je me durcissais à l'extrême.

A mesure que nous avancions dans cette boue, elle criait grâce, croyant toucher le fond de l'infamie, mais je la faisais descendre encore. Chaque jour, je lui découvrais quelque nouveau détail avec une rigueur dans l'abjection dont je ne me serais jamais cru capable. Elle croyait tout savoir sur l'abomination : mais elle ignorait toujours un trait particulièrement révoltant, un raffinement inédit inventé par mon inépuisable méchanceté. J'aimais le spectacle de cette vie qui sombrait. Je ne la torturais que porté par la certitude de son innocence absolue : sa candeur, sa naïveté aiguillonnaient seules ma volupté à la faire souffrir. Je devenais de plus en plus violent dans l'espoir d'une réaction mais, si elle réagissait, ma fureur ne connaissait plus de bornes.

Souvent le malheur la rendait folle : c'étaient alors des cris, des grimaces, des mouvements hagards, ses lèvres tremblaient, elle étouffait, des crises de tétanie entrechoquaient ses jambes comme deux béquilles de bois. Une femme est un bloc dur dans lequel on n'entre pas : j'avais fissuré Rebecca au point de n'étreindre qu'un amas de ruines. Je détenais sur elle un pouvoir sans bornes. J'avais cassé le ressort de sa volonté, l'avais rivée à moi par un carcan de fer. J'avais délaissé son corps pour camper en maître dans son cerveau où je faisais régner la terreur. Je dominais son âme, modulais ses pensées, retrouvais dans sa bouche des phrases que j'avais prononcées une heure avant, et son système nerveux était entre mes mains un jouet dont je manipulais le clavier en tous sens comme une calculatrice. Elle était ma caricature vivante, mon ombre, mon reflet grotesque, la victime coopérait avec le bourreau à sa propre destruction. Elle devenait une créature frénétique, toujours pendue à mes bras. Elle s'accrochait à moi comme de la vermine, trouvant à son cauchemar une sorte de raison de vivre immonde qui la maintenait à flot. La persécution lui permettait d'échapper à la solitude, et la crainte de me perdre s'était insinuée en elle au point de lui faire mesurer tout le vide d'une existence dont je serais absent.

Comment de telles choses sont-elles possibles aujourd'hui ? Et pourquoi non ? Le passé avec ses vices est d'autant plus prégnant que notre époque libérale l'a décrété aboli ; ainsi la barbarie n'étant plus combattue poursuit son travail dans l'ombre, portant l'extrême archaïsme au cœur de la modernité. Pour moi, la situation était plus simple encore : tout dans mon éducation — je vous rappelle que j'étais fils unique — m'avait façonné à la pire loi de la jungle : manger l'autre pour n'être pas mangé. L'habitude de ne rien partager jointe à celle de tout recevoir, l'usage de la dissimulation systématique, un besoin d'assistance permanente lié à une haine non moins forte de ceux qui m'assistaient, autant d'éléments qui avaient contribué à me corrompre jusqu'à la moelle. Affaibli parce que gâté, j'avais tout eu sauf l'essentiel : la perception d'autrui. Entouré de courtisans, de domestiques ou de flatteurs, je n'avais connu des sentiments humains que la gamme infantile de l'envie, du caprice et de la bouderie. Habitué à être servi, je considérais le dévouement de Rebecca comme un hommage qui m'était dû. N'ayant jamais pu vivre sans martyriser quelqu'un, ami, parent ou maîtresse — j'ai besoin d'une victime comme une locomotive de charbon —, je fis de cette âme ardente et droite une succursale de mon propre moi.

Rebecca m'avait traité de salaud : je reconnaissais en moi ce défaut. J'avais opté pour le mal, par commodité, pour être quelque chose plutôt que rien. Par orgueil, je tenais absolument à ce que tous les torts soient de mon côté. On se représente les gens méchants comme des monstres, continûment appliqués à faire du tort. Mais non, ce sont des êtres ordinaires, bons pères, bons employés à qui la faiblesse d'un vis-à-vis offre soudain les voies d'une carrière intermittente dans la torture. Ainsi la misère des autres m'électrise : dès qu'on m'appelle à l'aide, au lieu de secourir, je frappe, j'écrase, je piétine. Je me roulais dans les noms exécrables dont Rebecca me gratifiait comme un porc dans sa fange, m'évertuant à les mériter, me haussant ainsi au niveau des grands infâmes de l'histoire.

Mon dernier coup de maître fut de monter mon fils contre elle. Vous savez comme les petits sont malléables, réceptifs à la propagande psychologique. Dès qu'elle le grondait, pour une négligence quelconque, je prenais sa défense à haute voix, surtout s'il était en tort. Je lui offrais tout ce qu'il désirait, soulignant bien que Rebecca ne l'aurait jamais fait. Je la lui présentais comme une usurpatrice qui avait pris la place de sa mère. Je détaillais ses moindres défauts, surtout sa haine des enfants que je lui décrivais comme viscérale. Je lui conseillais de se méfier d'elle et de ne jamais rester seul en sa compagnie. En cachette, j'allais dans sa chambre déchirer ses magazines, briser ses jouets, accusant ensuite Rebecca. Elle avait beau protester, mon fils se persuadait qu'elle ne l'aimait pas et voulait le séparer de moi. Alors, d'instinct, selon cette loi tribale qui ligue les hommes contre les femmes, il prenait mon parti et se dressait du haut de ses trois ergots pour l'insulter en toute occasion. « Papa est trop bon, il devrait te chasser. » De savoir cet enfant, qu'elle avait couvé comme le sien propre, passé dans mon camp plongeait ma douce amie dans des crises de larmes sans fin. Et le jour où il lui jeta au visage avec cette cruauté impitoyable des mouflets : « Un médecin ne devrait jamais sortir avec une épicière... », elle s'effondra littéralement au sol et fit une crise d'épilepsie qui nous épouvanta.

Mais elle oubliait tout car il y avait pour elle une jouissance infinie à pardonner : comme si elle trouvait dans l'absolution la dernière ressource de son dénuement. La lèpre lyrique de l'amour passion l'avait pervertie jusqu'à la moelle. J'avais beau commettre chaque jour l'irréparable, elle avait une telle propension à la clémence qu'elle finissait par désamorcer mes pires forfaits. Cette jouissance à la voir se désagréger, eh bien elle arrivait à me la voler en éludant toute plainte, en prenant ma tête entre ses mains, en caressant mes cheveux. J'étais désarçonné comme si j'avais insulté une statue, mes sarcasmes s'effondraient l'un après l'autre et je n'avais plus qu'à me taire ou à la frapper.

Avec désarroi, je m'aperçus qu'elle trouvait un certain réconfort à sa position de bouc émissaire. Sur elle ni mon aversion déclarée ni ma brutalité cinglante n'avaient le moindre effet. Elle s'arrangeait de sa déchéance. Elle avait capitulé sans conditions ; je me sentais hagard, plus vaincu par ce triomphe que si elle m'avait écrasé. Nous avions atteint un point où mes caresses, mes baisers la gênaient : elle ne les comprenait plus, attendant morsure et lacération quand je lui offrais le câlin, craignant à juste titre qu'un accès de bonté ne prélude à un déchaînement. J'étais maître d'elle : recroquevillée, geignante, elle avait déposé sa vie entre mes mains. J'aurais tout pu à cet instant : la prostituer, l'amener au suicide, au vol, à la délinquance. Mais je n'étais pas de taille à devenir maquereau ou gangster, et je pouvais difficilement aller plus loin sans l'anéantir.

Ma férocité était encore un lien trop fort : j'avais trop besoin de cette femme que je suppliciais pour ne pas devenir à mon tour, quoique tortionnaire, l'esclave de mon esclave. Un sordide sans éclats, le sordide des situations irrémédiablement ruinée, rongeait notre vie commune. Mon hostilité succomba elle aussi sous la grisaille : bulle sur un étang, convulsion moyenne d'une vie atone, elle se mit à faire bon ménage avec la médiocrité. Je me lassais de mon sadisme non par docilité d'âme mais par ennui. Je finissais par haïr ma sauvagerie de trouver son objet si faible, si pitoyable. Rebecca ne représentait plus rien : à peine une serpillière jetée dans un réduit.

Désespérant de me débarrasser d'elle, j'imaginai le stratagème suivant. Je lui proposai de partir en voyage ensemble, loin de toutes ces choses qui avaient failli nous détruire. Je choisis une destination exotique : les Philippines. De mon côté, je pris toutes mes dispositions : louai un appartement, obtins un transfert d'hôpital, démissionnai du cabinet de médecins. J'achetai les billets — j'avais poussé la bonté jusqu'à lui offrir le trajet —, réservai les hôtels, m'occupai des visas. Croyant sortir enfin du cauchemar, Rebecca retrouvait des couleurs et même, pourquoi ne pas l'avouer, une certaine beauté. Au jour fixé, nous nous rendîmes ensemble à Roissy : les bagages enregistrés, ma valise était pleine de vieux papiers roulés en boule, nous fûmes les premiers à nous installer à bord de l'appareil. A peine assis, je demandai à Rebecca de garder mes affaires, le temps d'aller aux toilettes. En réalité, je fendais à contre-courant le flot des passagers qui embarquaient, m'engageais dans la passerelle, courais sur le trottoir roulant, traversais tout l'aéroport, repassais la douane et m'engouffrai dans un taxi.

Pourquoi ajouter à la cruauté de mon départ cette ignoble ruse ? Parce que Rebecca avait besoin d'une averse de sadisme pour comprendre ma volonté d'en finir. Parce que je riais intérieurement de sa surprise, de son effroi, de son abominable souffrance à la découverte de mon piège. Parce que la rupture est un événement trop risible pour l'accomplir dans les rituels ordinaires, et que je désirais, en y ajoutant un soupçon de sordide, échapper à sa bêtise poisseuse.

J'étais seul enfin. Avais-je oublié Rebecca ? Je crois pouvoir dire que oui, je riais de mes terreurs passées, de mes engouements assoupis. Une succession de cycles m'avait guéri du cancer conjugal dont je me savais immunisé pour longtemps. Jamais plus je ne penserais la vie en termes de pactes, de serments, jamais plus je n'essayerais de sonder un être jusqu'au fond de ses entrailles. Désormais, je savais que l'amour n'existe pas, que nous sommes seuls. L'osmose est un leurre : j'avais coupé le cordon ombilical avec le couple qui, au sortir de l'adolescence, prolonge la chaleur et la sécurité de la famille. Je me préparais à vivre comme je mourrai : seul en compagnie d'autres solitudes dont le bruissement et l'affection, loin de me réconforter, me renvoyaient à mon propre isolement.

Je me jetais dans la débauche avec une rage sans scrupules. Inapte à maîtriser les élans de ma gourmandise polygame, je courais après les bonnes fortunes et me sentais une terrible voracité pour prendre, gâcher, épouser tout ce qui pouvait m'apporter une joie prompte et brutale, voracité qu'avivait mon récent carême monogamique. Débarrassé de tout colifichet sentimental, je ricochais d'une conquête à l'autre, fuyant tout attachement durable. J'étais loin de séduire toutes les femmes que je désirais, mais je plaisais alors par ma volonté de plaire. Objet de la fantaisie de nombreuses créatures, ne régnant sur aucune, les quittant sans les connaître pour me donner à d'autres, je remettais chaque fois ma vie en jeu.

Appliquant à la lettre le principe évangélique : aimez votre prochain, puisqu'en chaque femme je n'aimais que celle qui allait suivre, je me penchais avec une égale tendresse sur n'importe quel corps, n'importe quel visage, avec un élan de gratitude qui me poussait à trop étreindre pour tout embrasser. Il y a d'un côté le petit nombre de femmes que nous aimons notre vie durant, et de l'autre la féminité, l'inaccessible même; moi, je lançais des passerelles de l'une à l'autre, je demandais à chaque personne rencontrée d'être l'expression partielle, instantanée d'une essence qui la dépassait. Intoxiqué par le changement en soi, j'étais pressé de consommer, ne regardant ni à la condition ni à la beauté, l'affaire la plus prompte me paraissait la meilleure. Bref, soupirant après de gros événements, je me vouais à l'amour avec l'acharnement d'un néophyte, heureux de ces intrigues qui réveillaient en moi des forces que le train-train sentimental avait étouffées.

Je me refusais à acquérir une mémoire amoureuse et n'existais que par le regard mobile et versatile des autres. Je ne voulais plus qu'un être et un seul embrasse l'ensemble de ma vie, je n'aurais pas ce confident unique et singulier qui témoignerait, pour la postérité, de ce que je fus. Ne pas vivre en couple, c'est renoncer à sa propre légende, c'est perdre l'unité d'une histoire pour acquérir le débraillé d'une rumeur. Cette recherche de la constance en amour, semblable à la recherche d'un Dieu unique en religion, j'en

162

avais trop souffert pour en accepter encore les séductions. Je préférais vivre dispersé, sans laisser de traces derrière moi, parce que l'engagement amoureux me plongeait dans une mémoire qui ressemblait à de l'amnésie, donnait à mon destin une cohérence que j'assimilais à de l'égarement. Les êtres de la fidélité sont d'abord les êtres de la tiédeur, ce qui les rend inacceptables à mes yeux. Je n'étais plus qu'un nom propre croisant d'autres noms propres qu'il annulait presque aussitôt par de nouveaux. Et je savourais ce désancrage, contrepartie du plus beau des dons : la liberté.

Araignée célibataire, tissant mille fils entrecroisés, je me savais la capacité de créer partout de petites sociétés mouvantes, versatiles, alors que le couple me plongeait dans une solitude irrémédiable et pour ainsi dire métaphysique : plus seul à deux que solitaire. En état de disponibilité absolue face à la vie, je bivouaquais de place en place : chaque inconnue rencontrée me donnait le sentiment d'être un inconnu pour moi-même. J'atteignis un degré d'excellence si aiguë que tout ce que j'avais ressenti avant prit une saveur de médiocrité. Pour moi, tous les lieux étaient chargés de la même poésie, une usine valait une plage, un panorama romantique la venelle la plus infecte, pourvu qu'une femme convoitée s'y trouvât. Les beautés du monde me laissaient froid si une présence féminine ne venait les animer, je ne connaissais que les paysages de mon désir, des paysages humains.

Ma voltige était dépourvue d'arrogance : les femmes me sollicitaient autant que je les appelais. Depuis que le donjuanisme est partagé par les deux sexes, il a perdu son auréole maudite, a cessé d'exhiber sa liberté comme un défi. Il n'y a plus de coureurs puisqu'il y a des coureuses. Les êtres se donnaient, partaient, arrivaient sans demander d'explications, par consentement ou refus instantané, et cette simplicité m'enchantait.

A chacune, je disais des « je t'aime » désinvoltes dont

elles accueillaient l'intensité sans s'attacher au contrat. Tout à la splendeur de ces destins entrecroisés, je ne connaissais des relations amoureuses que la beauté des commencements. Je croisais un échantillonnage humain inouï, flottais dans une succession d'instants prégnants qui me maintenaient en état d'apesanteur. Le bonheur de ressentir une forte tension, une sorte d'appétit barbare pour la diversité me donnaient le sentiment — naïf sans doute — d'ajuster mon pas au parcours formidable de la société. Passé le premier temps du déchaînement sensuel, je songeais à m'expatrier. La France est un pays qui dort et où l'on ne peut échapper au repli sur soi, elle est la patrie de la vie privée : c'est pourquoi y fleurit plus qu'ailleurs la vérole conjugale, l'amour égoïste des époux, barricadés, tous volets clos, quand le monde autour d'eux se soulève. Profitant de ma spécialité en parasitologie, je prenais des contacts avec « Médecins sans frontières », et demandais à être affecté à un pays démuni mais libéral sur le plan des mœurs, tel que l'Afrique noire ou l'Asie du Sud-Est, sachant que je servirais mieux si mes inclinations érotiques trouvaient à se satisfaire sans obstacle. Bref, après trente ans de tâtonnements, je pensais être enfin parvenu à articuler ma petite histoire sur l'histoire foisonnante des autres hommes.

Je vois votre grimace, Didier. Vous vous dites : le beau cochon qui se vante de ses vilenies, me déballe des horreurs, le sourire aux lèvres. Eh oui, en m'accablant, je vous laisse le privilège de l'indignation. Mais je me délivre aussi : je fais de vos oreilles le vide-ordures où j'abandonne mes péchés.

Son regard illuminé de hideuse sagacité me souleva le cœur. Sans un mot je me levai. Seul un homme qui éprouvait une véritable jouissance à se flageller lui-même pouvait avec une telle ivresse descendre jusqu'à des aveux si impudiques. Était-il possible qu'il se noircisse à plaisir ? Je n'eus guère le temps de m'interroger, car j'avais à peine refermé la porte de sa cabine que je heurtais un être dans le couloir : c'était Rebecca qui manifestement avait écouté à la cloison. Chose étrange : elle ne poussa pas un cri, nous étions tous deux muets, elle, surprise en flagrant délit d'espionnage, moi, figé par l'étonnement et encore assommé par les confessions du paralytique. Elle avait — semble-t-il — quelque chose à me dire ; elle aussi cachait peut-être un secret. Elle avait reculé jusque sous la lumière d'un spot : cet éclairage qui eût été sans miséricorde pour une autre rehaussait son beau visage encore pris dans une vague enfance. Ses cheveux frissonnaient sous la brise de l'air conditionné, ses longs cils élargissaient ses yeux en leur donnant plus d'éclat. Je me sentais envahi de respect devant cette bouche close à l'excuse comme au regret, je ne savais plus si je lui en voulais, si je devais lui tenir rancune de sa trahison.

— Tu sais maintenant combien j'ai été malheureuse !

Ce tutoiement brutal me toucha : l'intimité était donc rétablie et j'inaugurais sans tarder cette marque d'amitié.

— Je n'arrive pas à croire que vous... que tu aies enduré tout cela.

— Ne me juge pas sur l'impression de force que je donne extérieurement... Mais dis-moi, tu n'es pas fâché pour le rendez-vous de cet après-midi ?

— Si, non, enfin...

— C'était une blague idiote, j'en conviens, mais, crois-moi, Didier, c'était le seul moyen que tu saches.

— Mais pourquoi t'en remettre à lui, ne pas me raconter ta vie toi-même ?

— Je laisse à Franz l'usage des mots, il n'a plus celui du corps. C'est son dernier plaisir. Chaque fois qu'il se trouve plus de vingt-quatre heures avec des gens, il est pris du désir irrésistible de tout raconter. Le plus souvent on le rabroue. Alors pour appâter ses auditeurs, il leur fait miroiter que je me donnerai à eux s'ils l'écoutent patiemment. C'est une pure divagation de sa part, je ne marche jamais dans ce compromis.

— Je sais, il me l'a dit. Mais ce n'est pas pour cette raison que je l'écoute, rectifiai-je soucieux de ne pas paraître trop intéressé.

— Toi, c'est vraiment par charité ?

Je la harcelai alors de questions désordonnées sur les étranges coutumes qu'elle entretenait avec son époux, mais chacune d'elles lui rappelait des perspectives de souffrance et de gloire qu'elle tenait pour acquises et ne voulait pas dévoiler. De guerre lasse, je demandai :

— Est-ce que je peux espérer un autre rendez-vous ? Un vrai cette fois ?

— Tu m'as donc pardonné... Va écouter demain la dernière confession de Franz et je te promets qu'ensuite... Mais excuse-moi, je dois te laisser, c'est l'heure de ses piqûres.

Comme je m'en retournais, j'aperçus Tiwari qui nous observait de loin depuis un coude du couloir. Dès qu'il se vit repéré, il baissa la tête et rentra dans une cabine. De quoi se mêlait-il, celui-là ?

Je rentrais vers les secondes classes en me frottant les mains, tout à la joie égoïste, vaniteuse de celui qui va réussir et cueillera bientôt le fruit qu'il convoite depuis longtemps. Je n'en voulais donc pas à Rebecca ; quoique n'ayant rien obtenu de tangible de sa part, j'étais rassuré. Le pacte insolite de son mari n'était qu'un fantasme de malade forgé dans la solitude. Il n'y avait pas d'alliance entre elle et lui, voilà qui m'importait, il n'y avait que Rebecca et moi, Rebecca qui avait pénétré dans mon cœur comme on entre par effraction dans un appartement, belle voleuse avec qui je pactisais.

Quand j'arrivai dans notre cabine, je compris tout de suite que Béatrice me plaisait moins. Ou plutôt elle était la même alors que tout avait changé autour d'elle.

— Pourquoi n'es-tu pas revenu, lança-t-elle, les joues

166

roses d'excitation. Nous avons fait équipe avec Marcello et Tiwari, et gagné quatre fois.

— J'étais chez Franz, dis-je sèchement, préférant la franchise à un mensonge devenu inutile.

— Chez Franz ? Mais je croyais que tu ne voulais plus le voir ?

Elle était si heureuse de son après-midi qu'elle n'écouta même pas ma réponse.

Nous dînâmes légèrement à l'écart des autres. Je regardais cette salle à manger peuplée de mornes et suants soupeurs, comme si je ne l'avais encore jamais vue, sensible pour la première fois à l'éprouvante laideur de ce paquebot. La vérité c'est que très peu de ces passagers m'étaient devenus familiers tandis que la majorité des autres me restaient indifférents, confusément groupés ensemble sans que je les qualifie même d'un surnom ou d'une marque distinctive. J'avais beau me forcer à l'espérance en pensant au lendemain, l'idée de cette veillée en tête à tête où je ne pourrais voir Rebecca étouffait l'optimisme dans ma gorge. Par un glissement monstrueux et dont je n'étais pas maître, le récit de Franz, loin de déprécier son épouse, dérapait sur ma relation avec Béatrice. Cette fois, je discernais un rapport direct entre cette histoire et mon désintérêt progressif pour ma compagne. Et le mépris qu'il se targuait d'avoir porté à sa maîtresse, je le transférais maintenant sur la mienne. Simple coïncidence bien sûr, et pourtant l'idée m'effleura que l'infirme était en train de m'infecter de ses goûts, d'installer en moi une âme parasite.

Non, je me trompais, Franz n'avait aucune part dans ma désaffection ; ce voyage avait catalysé un mécontentement qui éclatait sous la pression des circonstances. Sinon, comment expliquer ce coup de foudre dans un ciel si serein ? En partant en Orient, n'étions-nous pas en train de rapiécer notre couple ? Nous restions ensemble

parce que cela avait commencé et que cela devait continuer sans autre raison plus noble, par obéissance à la
routine que nous avions sécrétée. Il y avait quelque chose
d'absurde dans cette continuité. Je ne prenais plus Béatrice telle quelle, je soupesais ses qualités et ses défauts
comme un vulgaire marchand. Et moi qui l'appelais « ma
dévolue » il y a deux jours, j'avais envie de rectifier maintenant par « ma déconvenue ».

— Qu'as-tu, me demanda-t-elle, tu es bizarre, tu ne dis
rien, j'ai l'impression que tu me fuis.

— Pourquoi veux-tu que je te fuie ?

— Tu ne m'as rien lu aujourd'hui, on dirait que tu
oublies notre voyage.

— Notre voyage ! Tu en parles comme d'un nourrisson.

— Tu préfères peut-être le nourrisson de Franz et son
roman à épisodes sur sa dulcinée.

C'était la première fois qu'elle parlait de Rebecca sur
ce ton.

— Pourquoi la traites-tu de dulcinée ? Qu'est-ce qu'elle
t'a fait ?

— Elle m'agace, tout simplement. Je déteste son
regard qui vous détaille de la tête aux pieds, je n'aime pas
sa manière d'instituer un rapport de concurrence avec les
autres filles.

Le goujat qui dormait en moi répondit :

— Tu lui en veux parce qu'elle est belle et plus jeune
que toi.

Elle me regarda avec surprise comme si tout de même
elle ne s'attendait pas à cela !

— Je suis peut-être moche et vieille ?

— Je ne voulais pas dire ça.

— Je trouve que tu la défends avec beaucoup de chaleur. Je sais qu'elle est belle et qu'elle te plaît. Je l'attaquais juste pour voir ta réaction.

— C'est idiot, ton épreuve.

J'étais humilié d'avoir été si vite percé à jour. Mais Béatrice dit simplement :

— Tu sais, je crois que nous ne faisons plus assez l'amour.

Docile à l'invite, je m'exécutai après dîner dans l'étroitesse de notre catacombe flottante. Pourtant, même nue, ma compagne ne se dégageait pas du fourreau de la femme légitime. Et plus je la regardais s'affairer aux ablutions de sa toilette intime — elle avait cette manie hygiénique de se laver avant l'amour —, plus je sentais décliner l'appétit. Tout allait de guingois dans cette morphologie et je dus fermer les yeux pour ne pas la profaner avec une délectation morbide, si contraire à mon indulgence.

Enfin l'habitude aidant, nous nous accouplâmes gauchement. Mais tout en moi se rétractait devant cet abîme blanc dont la géographie m'était connue jusqu'au pli le plus intime ; et puis le roulis qui augmentait d'heure en heure ne fit rien pour enjoliver notre étreinte. Insensiblement, l'image d'une Rebecca nerveuse et farouche s'interposait entre cette chair prévisible et mon désir qui ne savait plus à quel objet se vouer. J'avais beau la chasser, elle se dressait entre nous comme un irrésistible aimant, tiers importun qui me distrayait. Je caressais ma partenaire avec négligence, m'efforçant d'éveiller de sa peau une réponse dont je connaissais en détail le moindre épisode mais qui ce soir-là ne vint pas. Ensuite, tout à la hâte d'être au lendemain, je m'endormis d'un trait comme on coule au fond de l'eau.

Quatrième jour :

L'amertume des sympathies truquées.

La main tendue.

Au matin du quatrième jour, sortant d'un rêve où Béatrice grimaçait comme sous le coup de quelque intolérable douleur, je me levai avec une seule idée en tête : me lier à Rebecca dans les vingt-quatre heures. Toute la nuit, la tempête avait fait rage, et tandis que nous entrions dans le détroit de Corintthe, des vagues couleur de plomb galopaient encore le long de la coque, montaient à l'assaut de l'horizon livide. Une lumière terne, accentuée par des cascades de pluie, endeuillait des plages basses, des hameaux de pêcheurs disposés en demi-lunes le long de petites criques. Béatrice faisait aussi grise mine que le temps. Un pouce de fard ne masquait pas la fadeur de son visage tiré par le mauvais sommeil. Nous devions atteindre Athènes vers midi, mais je ne pensais qu'à la soirée du Nouvel An dont je ne doutais pas un instant qu'elle serait décisive. La promesse d'une idylle à bord dépassait de beaucoup mon intérêt pour l'Orient qui était à son point le plus bas ; à vrai dire, lassé par les propos de table tenu sur ce thème éreinté par les litanies de Marcello, j'étais déjà blasé d'un pays dont je n'avais même pas foulé le sol.

Je plantai là ma maîtresse à la triste figure et sortis me promener. La chance, que j'avais beaucoup favorisée, voulut que je tombe nez à nez sur l'épouse de Franz dans le bar des premières classes. Elle m'accueillit avec des transports qui me surprirent, m'embrassa quatre fois sur les joues et tout en me tenant les mains me fit asseoir près d'elle. Sa présence donnait à cette pièce une intimité charmante. C'était mon premier véritable tête-à-tête avec une femme dont je savais tout et qui pourtant me restait étrangère. Elle n'avait plus cet air dédaigneux qui m'intimidait tant les premiers jours : son regard droit, plein d'une insolence gaie, illuminait son visage tourné comme une figurine de porcelaine. Devant tant de grâce, je redevins d'abord timide et balbutiant. Mais la faconde de ma nouvelle amie, son sourire éclatant, le ravissement où me jeta son premier compliment — elle me trouvait de beaux yeux — me rendirent peu à peu confiance en moi.

— Tout le monde est malade sur ce bateau, me dit-elle, si cela continue, il faudra annuler la fête.

Je lui donnais quant à moi des nouvelles des secondes classes sans omettre aucun détail sur les stewards et les garçons de cabine. Je n'avais rien de précis à lui dire, pourtant je ne cessais de lui parler ; les mots sortaient en foule de mes lèvres pressées et je m'étonnais de l'opportunité spirituelle de mes propos. Je sentais naître entre nous une familiarité instantanée, un de ces courants de confiance qui ciment en quelques minutes une affection de plusieurs années. Nous nous regardions tout enveloppés par le charme d'une sympathie qui commence, flirtant déjà avec les yeux, le sourire.

— Mais tu as même de l'humour, dit Rebecca, et m'attirant doucement contre elle, elle me baisa le front.

Cette caresse m'incendia les sangs, sa bouche était tiède et je regrettai de n'avoir pas attrapé au vol les deux mouches de ses lèvres. Elle avait relevé ses cheveux, dégageant des oreilles menues et roses trouées de saphirs.

— Aide-moi à terminer mes mots croisés, lança-t-elle en étalant un *Marie Claire* sur le bar.

Puis me tendant un paquet à moitié vide de Marlboro :
— Tu veux une cigarette ?

174

— Merci, je ne fume pas.

— Même pas ce vice ? A propos, tu sais ce que dit la locomotive à vapeur à la locomotive électrique ?

— Non.

— Comment avez-vous cessé de fumer ?

Elle pouffa. Cette niaiserie tendre me ravit.

— Tu n'es pas obligé de rire, même par charité. Bon, dis-moi, horizontalement, le comble pour un Japonais ?

Hélas, il fallut que Béatrice entrât à cet instant et nous surprît. Pendant quelques secondes, personne ne dit rien : on se serait cru dans un théâtre de boulevard (il est stupéfiant de constater à quel point la vie ratifie les pires conventions du vaudeville). Je ne savais comment éviter ce mutisme de conspirateurs, et pourtant ne tentai pas de l'abréger.

— J'espère que je ne vous dérange pas, dit l'intruse, en maîtrisant mal un tremblement du menton.

Elle n'avait plus qu'un filet de voix.

— Pas du tout, répondit Rebecca, c'est un plaisir de te voir. Nous faisions la liste des nouvelles du jour.

— Ce genre d'actualité ne m'intéresse pas.

— Tu viens de te lever sans doute, tu as encore les yeux tout gonflés ?

— Non, je suis réveillée depuis six heures. C'est le roulis qui m'empêche de dormir.

— Ah ! excuse-moi, tu avais l'air de sortir du lit.

Une aigreur polie se mettait dans leur discours qui risquait de tourner à l'invective. L'idée, vaniteuse, réconfortante me vint que ces deux femmes se déchiraient pour moi.

— Qu'est-ce que tu vas mettre ce soir ? demanda Rebecca.

— Je ne sais pas, je n'ai pas très envie d'y aller.

— Je peux te prêter des affaires, nous devons avoir la même taille, quoique tu aies l'air plus forte des hanches.

Béatrice sursauta ; j'avais envie de rire.

— Je n'ai pas besoin de tes vêtements. J'ai emporté ce qu'il me fallait.

— Je te disais cela pour t'éviter d'avoir l'air négligé. Bon, les tourtereaux, je vous laisse, je vais donner sa becquée à mon pigeon. A ce soir.

Une longue minute de silence passa sur le bar soudainement désert. Les « tourtereaux » évitaient de se regarder, plus gênés encore par cette absence soudaine de l'étrangère.

— Je vous ai dérangé, n'est-ce pas ?

— Pas du tout, nous parlions...

— Ne mens pas, Didier, cela se lisait sur ton visage quand je suis entrée.

— Arrête avec tes soupçons !

— Didier, reprit-elle (et sa voix était une supplication tremblante), dis à ta Béatrice que c'est un malentendu, que je rêve.

Je restais sourd à ces signaux de détresse. Elle me considérait avec des yeux étonnés, découvrant peu à peu une vérité à laquelle elle ne voulait pas croire. Elle avait tout deviné et elle balbutiait, prête à pleurer. Je ne me souviens pas des platitudes échangées alors, je lui disais des choses communes n'ayant rien à lui dire, et les stéréotypes, proscrits en principe entre deux personnes qui s'aiment, s'accumulaient entre nous comme autant de cadavres. Ces riens, que je trouvais si gentils dans la bouche de Rebecca, m'exaspéraient dans celle de Béatrice : une fois encore elle sortait perdante de cette confrontation.

— Regarde-moi, reprit-elle avec un chevrotement de douleur, je ne suis pas seulement belle, mais vivante, pétillante. Elle, c'est un piège sexuel, une créature forgée par les hommes. Je ne comprends pas ce besoin que tu as de tout détruire entre nous simplement parce que tu as envie de cette fille.

Je réprimai mal un éclat de rire : elle, pétillante ? Oui,

comme du mousseux éventé! Elle s'avisait enfin que sa présence n'était pas loin de m'indisposer. Il suffisait d'un mot pour la relancer dans l'espoir mais je me tus.

— C'est Franz qui t'a tourné la tête, je ne te savais pas si influençable. Tu sais, elle n'est pas si belle que ça, ta Rebecca, trop apprêtée, artificielle...

Près d'elle j'étais passé à côté de la joyeuse imprévoyance de la vie, il était temps de rattraper ce retard.

— Mais réponds-moi à la fin, tu ne vois donc pas qu'ils sont en train de se moquer de nous, de t'exciter contre moi pour nous désunir.

— Voilà au moins ce que les préfets de police et les femmes jalouses ont en commun : le fantasme du complot, dis-je avec ironie, heureux de développer une idée que Franz m'avait soufflée la veille.

— Mais, bien sûr, je délire...

Tout son corps frémissait, secoué par la violence de son émotion; son nez se gonflait, et elle restait agitée de sanglots à se plaindre que nous ne nous aimions plus. Le barman nous regardait sans comprendre. Ce dialogue m'ennuyait comme chaque fois que l'on est en tort et qu'il faut se justifier. La vérité c'est que Béatrice n'était plus sur le marché et ne voulait pas en convenir. *Être sur le marché :* je ne sais pourquoi cette expression me plaisait tant ce matin-là. J'imaginais le monde amoureux comme un vaste bazar où les uns s'offraient tandis que les autres choisissaient. Au fur et à mesure que les êtres allaient en âge, ils étaient plus nombreux à se proposer et de moins en moins difficiles sur l'objet élu. Et je pensais aux amies parisiennes de Béatrice, toutes trentenaires comme elle, jadis Passionnarias hautaines, autour de qui les hommes tourbillonnaient, et dont le visage maintenant était une supplique constante qui disait : « aimez-moi », pauvres colis en souffrance prêts à partir avec n'importe qui pourvu qu'on les arrache à l'abandon et au délaissement. Et je me sentais loin, tout à fait loin de cette fille qui n'appartenait plus à mon actualité sentimentale : si seulement, elle pouvait débarrasser le plancher pendant vingt-quatre heures !

Plus tard, sous une pluie battante, en compagnie de Marcello, de Raj Tiwari et d'une vingtaine d'autres, nous débarquions au Pirée. Pour moi, qui me rendais en Asie, Athènes ne pouvait être ce qu'on appelle au jeu de l'oie qu'une pénitence, une réminiscence de classe secondaire. Ces fameuses sources de notre culture m'étaient à peu près aussi étrangères que les mythologies bantoues ou le panthéon des tribus sibériennes. Mes intrigues de l'heure m'importaient autrement plus que cette accumulation de monuments qui exhibaient la nostalgie de leur splendeur passée. Je partais pour découvrir et non commémorer. La laideur du Pirée confirma mes réticences : de rares vivants rôdaient dans cette catastrophe esthétique, en imperméable ou coiffés de parapluies noirs, au pied de maisons hideuses qui se soufflaient leur haleine puante. Le vent glacé qui poussait devant lui des journaux froissés, l'agressivité enfin des automobilistes qui par jeu fonçaient sur nous en klaxonnant achevèrent de me hérisser contre l'escale. Et quand il fallut prendre le métro pour se rendre place Omonia et gagner l'Acropole — soit perdre une heure, une heure et demie dans les transports en commun —, je renonçai et rebroussai chemin malgré les supplications de Béatrice. Que me faisaient les chefs-d'œuvre de la Grèce antique, moi qui étais prêt à donner le Parthénon, Delphes et Délos pour un seul baiser !

Je remontai à bord tout joyeux de cette récréation. La mer était grosse, on l'entendait bouillonner dans le port, gifler les navires à quai, une houle luisante d'huile soulevait sans cesse les vedettes et les remorqueurs. Le *Truva*, les mâchoires grandes ouvertes, surmonté d'une herse aux dents acérées, avalait quelques dizaines de voitures de tourisme, pour la plupart hollandaises et allemandes. Je me dirigeai vers la cabine de Franz car il me fallait, selon le vœu de Rebecca, écouter une dernière fois son récit. J'espérais qu'il allait récapituler avec une minutie cruelle tous les détails de sa déchéance, et je me réjouissais à l'avance de l'histoire de sa chute comme on se réjouit des revers d'un concurrent malheureux. L'infirme ne s'y trompa guère puisqu'il me dit, quelques minutes après mon arrivée :

— Je serai bref, car je vous parlerai aujourd'hui de ma défaite, et ce malheur éclatant flattera, je pense, votre amour-propre de quelque façon.

La main tendue

Voici donc la fin de notre lamentable saga telle que je vous la retrace fragment par fragment depuis trois nuits. Au neuvième mois de mon célibat volontaire, en pleine vie de dissipation et de plaisir, au petit matin d'une nuit de bringue et d'alcool, je fus renversé par une voiture sur un passage clouté et me retrouvai à l'hôpital avec un tibia fracturé. Mon état de médecin me permit de solliciter une chambre pour moi seul et j'envisageai non sans plaisir ces deux semaines de repos forcé, suivies d'un mois de convalescence et de rééducation, supputant déjà le montant des dommages et intérêts que je pourrais extorquer à mon chauffard.

Une semaine était passée; au milieu d'un après-midi, la porte s'ouvrit timidement sur une personne du sexe féminin. Pendant une minute au moins, je ne remis pas cette jolie femme bronzée, au léger type oriental. Je ne l'identifiai pas sans déception : il s'agissait de Rebecca.

— Toi, ici, tu ne t'es donc pas suicidée?

Elle avait pâli sous l'insulte et évitait de me regarder en face.

— Non, pas encore..., j'ai appris que tu étais malade, par

un ami commun, M., rencontré boulevard Saint-Germain. Alors je suis venue te rendre visite.

Comment pouvait-elle me revoir après le tour pendable que je lui avais joué? Mais nous ne parlâmes pas de mon subterfuge ni des scènes de désespoir auxquelles il avait dû donner lieu. Rebecca me dit seulement qu'elle venait de passer six mois dans un kibboutz en Israël, à la frontière libanaise. Elle était beaucoup plus belle que le souvenir que j'en avais gardé, plus mince, avec une gamme subtile de nouveaux gestes et de nouvelles expressions qui suggéraient une soudaine et troublante maturité.

Elle repassa le lendemain puis chaque jour. Je n'avais pas plus à lui dire qu'autrefois et bientôt je la traitai avec la morgue et le mépris des jours passés. Un dimanche, où je m'étais moqué de son assiduité à me rendre visite, elle se rebiffa :

— Tu ne vas pas recommencer à m'insulter?

— Tiens, la déesse du pot-au-feu se révolte ?

Son visage avait pris une expression dure et ses yeux se fermèrent jusqu'à n'être plus que des lames de persiennes.

— Adieu, dit-elle froidement, tu ne me reverras jamais.

Elle se pencha sur moi pour m'embrasser, je sentis ses mains qui tripotaient les montants de mon lit — j'étais protégé de part et d'autre par deux bat-flanc que retenaient des crochets —, mais tout à ses yeux, je ne vis rien du reste. Le ton de sa phrase me donna un bizarre frisson. Puis, elle se dirigea vers la porte. Réaction de malade ou faiblesse passagère, je ne sais, mais je la rappelai.

— Attends, reviens.

Et je lui tendis la main, m'appuyant de tout mon poids contre la barrière. Elle se retourna et me tendit la main à son tour. Au moment où nos doigts allaient se nouer, elle retira les siens. Je me penchai davantage, elle recula encore. Je la regardai : un mauvais sourire défigurait ses traits. Elle se jouait de moi, elle osait se jouer de moi parce que j'étais malade! Je ramenai mon bras. Presque aussitôt, elle me le reprit et le tira vers elle. Tout mon corps bascula sur le côté du lit.

— Arrête de tirer, espèce de folle, tu me fais mal.

Mais des deux mains, elle avait agrippé mon bras à l'en arracher. Alors, le bat-flanc qui me protégeait céda avec un sinistre craquement — elle en avait défait les gonds — et je m'écrasai à terre de toute la hauteur de ce lit d'hôpital.

J'eus un immense frisson qui m'empoigna au creux des reins en pleine moelle, courut des pieds à la tête en foudre de glace, et je me brisai en deux comme une coupe de cristal. Sur le carrelage glacé, avant de sombrer dans le coma, j'entendis une voix féminine qui chuchotait à mon oreille :

— Pauvre imbécile, tu croyais donc que j'avais oublié ?

Vous devinez sans peine les conséquences de cet accident : atteint à la colonne vertébrale, je me retrouvais paralysé à partir de la taille, privé de mes jambes et de mes nerfs érectiles. Je fus opéré deux fois, de grands spécialistes se relayèrent à mon chevet ; en vain, la fracture était trop brutale, l'hémiplégie irrémédiable. Je restai deux mois à l'hôpital, couché entre deux parois d'acier, hérissé de drains, subissant jour et nuit la pompe des injections et des perfusions de plasma. Relié à ces sentinelles de la survie, j'avais l'impression d'être un standard téléphonique surchargé, et j'eus tout le temps de maudire la médecine et les faux archanges qui en composent le clergé. Bien que sachant Rebecca coupable, j'intentai un procès à l'Assistance publique pour négligence, accusant l'infirmière de garde d'avoir mal fixé les taquets du bat-flanc, cause de la chute. Pas une fois, il ne me vint à l'idée de dénoncer la vraie fautive ; peut-être parce qu'en moi quelque chose admirait son ignoble vengeance. Je gagnai et obtins réparation : l'Administration des hôpitaux fut condamnée à me verser une indemnité de plusieurs millions par mois ma vie durant. J'étais riche désormais : deux mètres carrés de lit et un fauteuil roulant aux belles cannelures d'acier composaient tout mon univers. Rebecca m'avait fait mordre la *poussière, la femme humiliée avait obtenu réparation pour les torts immenses que je lui avais causés.*

Chose curieuse : elle tint à me soigner et s'occupa de moi avec un admirable dévouement, ne manquant pas de m'assister une minute, jour et nuit ; c'est que la dégradation physique ne suffisait pas à cette fourbe qui échafaudait d'autres plans. Elle avait même gagné le cœur de ma mère qui la bénissait et entonnait ses louanges à chaque occasion. Le processus d'asservissement était en marche. Elle prit sur moi une influence semblable à celle que prend sur un vieillard une fille jeune et perverse. Naïvement, je me croyais encore assez fort pour la capturer et la repousser à mon gré si je m'en donnais la peine. Mais les positions s'étaient inversées : maintenant, j'étais le perdant. Ce chassé-croisé fut mon drame.

Oui, continua Franz en soupirant comme s'il voulait me prendre à témoin de l'instabilité des grandeurs terrestres, trop longtemps, j'avais cru qu'on pouvait vivre en toute impunité ; et le châtiment venu, je n'ai pu le supporter. Je m'étais fié à l'amour de Rebecca comme à la solidité d'une monnaie. Mais les autres ne sont jamais ni si amoureux ni si indifférents qu'on le croit. Exclu du cercle des bien-portants, toute ma vitalité se réfugia dans ma bouche, dans cette glotte bavarde et bavante qui surplombe un déchet. Reste de vie vacillante sur une prothèse, je me regardais serré sur mon petit format thoracique avec ma tête trop grosse perchée sur un buste minuscule, mes jambes inertes et maigres, mon sexe mort, quenelle fanée gisant dans le nid de ses poils. Le monde extérieur avait cessé d'exister puisque j'avais cessé d'exister sur lui. Où étaient l'assurance et l'orgueil de mon habileté, ma foi dans la réussite, la certitude de pouvoir y parvenir ? Tout cela avait disparu. L'illusion d'une vie trépidante se résolvait dans cette infirmité. Commençait une immense nuit de larmes et de remords.

Et puis certaines blessures sont le signe d'une défail-

lance de l'âme autrement grave. Tout ce que j'avais redouté dans les terreurs d'enfant arrivait : cet accident confirmait un échec inscrit en moi depuis toujours. J'étais vaincu bien avant de m'écraser sur le carrelage de cette chambre d'hôpital. Au fond, ne rêvais-je pas à la défaite, depuis les origines ? Et mon avidité à jouir de la vie, mon impatience pour les êtres et les femmes ne venaient-elles pas du pressentiment de la catastrophe ? Le destin épousait le cauchemar dont j'étais issu. La comparaison désolée des deux parties de mon existence — avant la plénitude glorieuse du temps sans faille ; maintenant le vide, l'emprisonnement aux mains d'une geôlière — me jetait dans une fureur impuissante. L'armure d'insouciance, de violence, de joie cynique qui avait assuré mon bonheur cédait au premier malaise : je m'effondrais de terreur pour un vertige, un spasme, terrassé par l'écoute anxieuse de mes moindres troubles. Mon oisiveté me rendait mes angoisses plus cruelles en me laissant toutes les heures pour y songer, en approfondir l'âpreté. Sali, avili par ce tourment médiocre et cependant irréparable, rongé par cette femme que j'avais tellement essayé d'oublier, je survivais, tombant toujours plus bas que je n'étais tombé.

C'était comme si avait disparu la clef de voûte d'une arche. La première année fut terrible : je laissai mon apparence se calquer sur celle d'une maison abandonnée. La maladie sculpta à même ma substance ce masque qui la défigure à présent. Ma face cessa à tout jamais d'émettre de la lumière et passant compromis avec le corps vira au gris. Je ne possédais plus mes nerfs qui me possédaient, me faisaient sauter les membres hors des jointures. D'entre toutes les sortes de faillites, j'avais écopé de la pire, de sorte que la fêlure fut complète. A trente ans, je devins un vieil homme doucement abêti par les routines d'une existence sans hasard. J'avais honte de ma force ruinée, honte de me faire soigner par celle que j'avais si profondément méprisée. Ma vie était un cimetière où reposaient des espérances qui ne renaîtraient jamais. Je m'étais voulu une destinée considérable et ne récoltais qu'une punition comique : le grand méchant homme finissait sur un grabat.

Mais le pire était ailleurs : maintenant que j'étais vaincu, Rebecca la femme, Rebecca la pauvre, Rebecca l'immigrée faisait autour de moi le siège de la haine : elle avait trouvé en moi, bourgeois arrogant, l'ennemi responsable, et l'abattait avec le bon droit de qui tient sa haine juste, louable, et s'en console. Après l'abjection du bourreau, j'éprouvais celle de la victime, de sorte que pas un aspect de l'expérience humaine ne m'échappât. Alors vint pour moi le temps de l'expiation. En m'estropiant, ma maîtresse trouva le moyen de s'évader de moi, de poursuivre la croissance que ma cruauté avait freinée. Elle reprenait vie ‘ sa beauté gourmande se ranimait chaque jour à de plantureux repas quand je n'avalais plus qu'une ou deux bouchées. Son ascension spectaculaire se renforçait de mon propre déclin. Rebecca : ce nom désormais faisait rouler le tonnerre de l'angoisse.

Froidement, avec cette impunité orgueilleuse des grands criminels, elle me demanda de l'épouser. Elle voulait profiter du montant de l'assurance pour vivre sur mon salaire, abandonner ses travaux mercenaires, reprendre des études de danse. En contrepartie, elle s'engageait à me prodiguer tous les soins nécessaires à mon état. Sentant la partie perdue, j'acquiesçai d'autant que ma mère, qui ne s'était jamais remise de la perte de son mari, tomba malade et fut enfermée à son tour dans un hospice. Nous nous mariâmes à la sortie de l'hôpital et prîmes un trois-pièces sur la rive droite, que Rebecca aménagea elle-même en se réservant une chambre décorée à l'orientale. Nous étions unis sous le régime de la communauté; elle gérait les finances de la maison, ne m'accordant qu'un peu d'argent de poche par semaine. Après un mois, alléguant des raisons d'économie, mais en réalité par volonté de régner sans partage, elle congédia la garde-malade. Chaque matin, elle me baignait, me transportait du lit au fauteuil, m'habillait. Et, chaque matin, je devais subir la liste interminable de ses griefs qu'elle énumérait en marchant, discourant avec une ivresse sacrée, fortifiée par des mois de fureur et de jeûne vocal. C'étaient des harangues hérissées d'épines qui m'accablaient par leur éloquence vengeresse et me forçaient à courber la tête, ahuri, sous le défilé vertigineux de mes péchés :

— Ô espèce de grand homme, disait-elle (et ces mots et plus encore leur intonation m'étourdissaient comme si l'on eût tiré un coup de feu près de mon oreille), tu pensais que j'allais mourir loin de toi, affamée de ta présence refusée. Tu m'imaginais mortifiée, pauvre coiffeuse ruminant sur les infortunes du sort et la médiocrité de sa basse caste. Idiote dont le seul tort était de t'aimer et d'être née humble, loin des faveurs de la richesse et des trésors de la culture. Et toi, le jeune premier, le brillant médecin, tu plastronnais, tu continuais ta course de météore, ayant déjà oublié ce chétif obstacle que tu avais écarté d'un revers de main, grain de poussière dans la poussière des chemins que tu arpentais d'un pas noble et égal. Maintenant, tu n'es qu'un légume, une limace. Vulgaire, hein, ta princesse orientale, n'enrobant pas ses vacheries dans du papier de soie, pas délicate, pas issue d'une longue lignée ! Écoute-moi bien, croupion : j'avais rêvé d'un ange sur terre, d'un ange dont je fusse tombée éperdument amoureuse et en qui j'aurais pu placer une confiance sans limites. A l'époque de notre rencontre, il me semblait que ma vie entière ne suffirait pas à t'épuiser. Et maintenant je te regarde, misérable, diminué : fallait-il que je sois folle pour te consacrer ma vie, mon intelligence, mon travail. Je te croyais pareil à moi, j'étais prête à souder ma vie à la tienne sans autre condition que ma loyauté, mais tu m'as écrasée, ravalée sous tes crachats au point que j'en ai perdu mon nom, mon identité.

« Après ton ignoble stratagème à l'aéroport de Roissy, j'ai cru devenir folle, ensorcelée : j'ai fait une crise de nerfs

185

dans l'avion, puis j'ai pris un hôtel à Athènes, première escale, où je suis restée en état de prostration sans bouger ni dormir pendant une semaine. C'est atroce ce que j'ai pu souffrir alors, j'étais malade, j'allais mourir de chagrin, je t'aimais à n'avoir plus une pensée, un souffle, un battement de cœur qui ne tende vers toi, à ne plus pouvoir prononcer un mot sans avoir peur de dire ton nom. Je me sentais nouée comme dans un sac de cordes, tu m'avais distillé un poison qui me paralysait, et je restais des journées entières assise sur une chaise à marmonner. Ce n'était pas la liberté que je cherchais, mais une issue. Je ne songeais même pas au suicide : à quoi bon tuer une femme qui était morte depuis longtemps ? Jour après jour pendant trois ans, un petit bout de moi avait été arraché. Je ne m'appartenais plus assez pour avoir envie de me supprimer.

« Alors, du fond de l'abîme, me vint une volonté de survivre à ma honte, de vaincre ta dévastation. Et parce qu'au pire du malheur, il est quelque chose dans les êtres que nul ne peut briser, je ne songeais plus qu'à me venger, qu'à retourner contre toi les flèches que tu m'avais décochées. La certitude où j'étais de t'infliger une blessure égale sinon supérieure au mal que tu avais commis me maintint seule en vie. La vengeance est minutieuse, elle va dans les détails, infecte les plaies : l'univers y gagne une abominable richesse. Cette revanche, je l'ai tellement rêvée qu'elle fut un poème dans ma tête avant de devenir un crime contre toi. Je fomentais dans ma tête de formidables attentats : ironie du sort, celui qui t'a fauché m'a été offert par le hasard. Tu le sais ou ne le sais pas : il existe une tradition de la douleur féminine, autour des femmes abandonnées, une solidarité se forme aussitôt ; me sachant seule, d'anciennes amies sont venues me retrouver, m'entourer, comme si tu avais constitué un écran à nos relations. Longtemps, j'ai eu besoin de quelqu'un pour m'abriter, me nourrir ; après tout j'étais jeune, dix-huit ans seulement. Longtemps j'ai eu par rapport aux marginaux, aux rebelles,

186

une attitude négative de refus, de rejet. Ils me troublaient, me semblaient insulter à la dignité de l'existence. Je sais que je me suis trompée : chez ces êtres qui luttent, aussi maladroitement soit-il, je cherche la vitalité qui les fait indépendants créateurs. La liberté, je le soupçonnais, ne s'obtient qu'au prix de marchandages inouïs avec ses propres démons, après des luttes, des rechutes intermi nables.

« Il m'a fallu des mois pour me désenvoûter de toi et te voir pour ce que tu étais : non pas un astre mais un agran-dissement, une carcasse brisée que seule ma peur de la vie rendait redoutable. Crois-moi, je n'aurais jamais accepté l'esclavage si je n'avais gardé la certitude de pouvoir m'en affranchir. En secret, je t'avais déjà déboulonné : au fond, tu n'as jamais été qu'une création de mon esprit, une idole que je soutenais à bout de bras ; je ne voyais que l'idole, je ne voyais pas l'effort de mes bras. Je n'avais besoin que du besoin que tu avais de moi. Je t'ai séduit en te fascinant sur ton propre pouvoir, en te donnant l'illusion d'être invin-cible. C'est ma jeunesse qui t'a donné tant de valeur ; cinq ans de plus et j'eusse été dégrisée tout de suite. Ces cinq ans je les ai gagnés en six mois.

« Tu ne m'as jamais aimée, tu m'as réduite à des vis-cères d'une part, à un fétiche exotique de l'autre. Tu fei-gnais de respecter la femme en moi, tu ne vénérais que des orifices. Il te fallait un prototype parfait pour assouvir ton goût de l'Orient, un être qui te réveille avec des salamalecs le matin et pousse des youyous pendant l'amour. Mais la jeune fille que j'étais, elle, tu l'as toujours ratée.

« Tu m'as quittée pour quoi ? Pour une idée, une pauvre idée que tu as tenté d'incarner maladroitement, ridicule-ment. Il n'y avait en toi que le rêve vague et sot de paraître, de paraître n'importe quoi, séduisant, papillonnant, don-juanesque. Tu m'as quittée en souvenir de l'adolescent timide qui avait tiré la langue, pendant des années, après toutes les porteuses de fesses et ne s'est jamais consolé de cette disette, comme ces personnes qui se gavent en souvenir des privations de la guerre ; tu m'as quittée pour épater la galerie, impressionner tes quelques amis prisonniers du système conjugal, par manque de gloire tangible auprès des dix personnes qui constituent ton entourage. Mon amour pour toi a été une longue erreur qui a trouvé sa vérité.

Ce beau réquisitoire m'étourdissait. Sûre de sa cause, avec une combativité et un mordant réellement admirables, ma gardienne me privait de toute possibilité de repartie parce qu'elle avait sur moi un avantage suprême, radical : l'intégrité physique. Croyez-le si vous voulez : ayant perdu mes raisons de vivre, je retrouvais mes raisons de l'aimer. J'admirais sa réussite, même si elle s'exerçait à mes dépens. Je me réjouissais de m'être trompé sur elle. Et puis je n'avais guère les moyens de rêver ; un être plein de sève et de force rêve grand ; la demi-portion ne rêve pas ; mutilé, le couple me redevenait désirable, le foyer attrayant. Le sentiment est quelque chose qui peut se perdre comme une montre, s'épuiser lentement comme un compte en banque et se retrouver comme un chapeau. Vieilli avant l'âge, aigri par mon sort, le corps tourmenté par les plaisirs connus, maudissant le genre humain, le soleil, les oiseaux, les enfants, mais craignant la solitude plus que tout, je résolus de finir mes jours avec Rebecca quel que fût le prix à payer. Ce prix, Didier, est astronomique, mais je ne me résignerai plus maintenant à ce qu'elle disparaisse de ma vie.

Devant les accusations de mon procureur, je tentais donc des marches arrière sentimentales. J'emplissais la maison de mes jérémiades. Je tentais de l'apitoyer avec le don des larmes, me concentrais d'abord pour penser à mon malheur, tournais mon visage de son côté pour lui montrer mes yeux humides, perlants, puis, dans un accès de fausse pudeur, me cachais pour épancher mes sanglots, m'abandonner tout entier à la cataracte. J'en épandais des litres, avec force reniflements, sûr de mes réserves, accélérant le débit, le fracas de la trompette nasale pour attirer l'attention. Mais rien ne pouvait attendrir ma juge, et elle sortait pour ne pas entendre mes larmes. Maladroitement, afin de regagner un peu son estime, je tentais de me déprécier :

— Écoute, je me hais comme personne ne m'a jamais haï.

— Non, coupait-elle, ne nourris pas d'illusion à ce sujet, je te hais mille fois plus que tu ne pourras jamais te détester. L'antipathie que tu te portes est encore trop niaisement sentimentale pour être sincère.

— Je me dissèque sans complaisance, je me méprise. Je suis rongé par le remords, j'ai honte des actes commis. Je sais que je n'ai pas le droit de vivre, je me fustige avec une sévérité sans exemple.

— Tais-toi, explosait-elle, tu n'as pas le droit de te critiquer, c'est encore une preuve de ton fol orgueil. Moi seule ai le droit de t'accabler; moi seule, pour en avoir souffert, connais la vérité à ton sujet.

— Rebecca, je t'en prie, je sais tout cela. Je suis mesquin, tu es généreuse, je suis une ombre, tu es la lumière. J'ai mérité de perdre ma santé pour le mal commis.

— Non, tu ne l'as pas mérité, cher négligeable, je trouve ce châtiment parfaitement injuste. Si, si, vraiment, tu n'as pas de chance. Au fond, c'était moi, l'imbécile, je restais quand tu ne voulais plus de ma compagnie, il était naturel que tu me tortures. Tu n'as rien à te reprocher.

Ces sophismes m'irritaient : je renonçais mal à la seule prérogative qui me restait, celle de figurer comme un coupable absolu.

— Rebecca, tu as été la plus habile. Tu as retourné ma force contre moi et tu l'as transformée en faiblesse, tu t'es servie de mes armes pour me vaincre.

— Dieu que tu es compliqué! Pourquoi ces théories fumeuses sinon pour te donner l'illusion que tu diriges *encore le mouvement, que l'affaire ne t'a pas échappé des mains ?*

Quand ce genre lamentin avait échoué, je tentais le registre lyrique et passais à la supplication :

— O Rebecca, enseigne-moi la vie, moi qui l'ai si mal apprise. Apprends-moi à l'aimer mieux à ta manière. Quelle brute sauvage et stupide j'ai été ! Quelle délicatesse dans ta façon d'épouser les jours et les nuits ! Comme j'ai mal vécu avant toi, je m'incline devant ta supériorité, ton génie féminin. Tu m'as donné des années merveilleuses qui sont parmi les plus belles de mon existence. Mon corps est malade, ruiné, mais il est habité par le souvenir des joies inouïes connues avec toi. Plus jamais je ne te ferai du mal, je t'aimerai comme nul ne t'a jamais aimée, il n'y aura plus de scènes.

— Plus de scènes ! Mais j'en veux, moi, des scènes, j'y ai pris goût, figure-toi, je ne peux plus m'en passer. Tu ne me feras plus de mal ? Mais quel mal pourrais-tu me faire maintenant que tu es hors d'usage, pauvre punaise ? Tu ne m'apitoieras pas avec tes éloges à l'eau de savon, j'ai encore trop en mémoire les injures dont tu m'as abreuvée il y a un an, pour me laisser prendre à tes lamentables flatteries. Je ne veux rien oublier du mal que tu m'as fait, je veux penser à chaque mot qui m'a blessée, je veux vivre chargée de cette saleté répugnante pour avoir une raison de te haïr à chaque instant. Je suis peut-être illettrée mais pas assez stupide pour tomber dans le piège de tes galanteries fadasses. Un jour tout être rencontre son maître qui lui fait payer le mal commis : car le mal veut du mal au méchant. Tu étais déjà mon esclave sans le savoir, tu m'appartenais comme le vainqueur appartient à son butin.

« Maintenant, comprends-moi bien : je t'accorde la vie non par pitié mais comme un châtiment. Tu resteras ici cloîtré dans cette chambre, dans cet appartement, tu n'es plus fait pour vivre avec les gens. Tu as trop désiré la compagnie, le bruit, la foule. Toute la cour qui t'entourait sera interdite de séjour dans ces pièces. *Tu pourras voir tes amis au café, si tu arrives à descendre tout seul avec ta petite chaise. Si je te laissais sortir, tu irais encore te mêler à des gens qui ne seraient pas sur leurs gardes et que tu détruirais. Ne t'attends pas à un pardon. Je le sais, la clémence est une belle vertu qui rompt les courants de la colère, mais pour moi tu n'es plus l'homme que j'ai aimé envers et contre tout, tu n'es pas un être humain à qui on puisse pardonner. Tu es une honte, une pensée amère, une bête malfaisante que je dois tenir à l'écart.*

J'avais beau essayer de l'amadouer, sa vanité, sa colère demeuraient totalement insensibles à l'adoration d'un amant désormais sans ressources ni beauté. Et chaque fois que je me rabaissais ou la suppliais avec ce lyrisme niaiseux des amoureux, elle répondait par des éclats de rire : chacun de mes arguments était entaché des horreurs accomplies, et les meilleures résolutions s'écroulaient devant le défilé des chefs d'accusation qu'elle promenait devant moi comme une oriflamme dès que je tentais de la fléchir.

— *Tu es et resteras toujours un chacal, n'essaie pas de t'accoutrer en agneau.*

Je la regardais, ahuri, en proie à ce charme douloureux qui porte avec lui la sensation d'une irréparable perte.

— *Tue-moi,* lui demandais-je alors, *trompe-toi dans les doses, fais-moi une injection.*

— *Non, non,* disait-elle (et elle prenait bien soin d'écarter de ma main tous les médicaments ou objets tranchants). *Tu m'es plus précieux vivant que mort pour la simple raison qu'un mort ne souffre plus.*

Ainsi en moins d'un an, elle réussit à débiliter mes forces, à brider mes espérances, à déprécier mes joies, à pervertir ce qu'il y avait en moi d'orgueilleux, de conquérant. J'étais devenu un vieillard prématuré qui n'avait plus le droit de pleurer, et se trouvait triste pourtant comme un enfant. Comment comprendre le revirement de quelqu'un qui vous a accepté sous votre plus mauvais jour, a renforcé vos mauvaises habitudes, avec qui ensuite vous vous croyez tout permis sauf de vous montrer sous un jour meilleur ? Ma garde-chiourme refusait de me passer mes amis au téléphone, leur affirmant que je dormais : elle avait installé l'appareil dans sa chambre et la fermait à clef quand elle partait. Si par hasard l'un d'eux franchissait le barrage de la porte, elle le recevait si froidement qu'il ne revenait plus. Elle contrôlait également mon courrier et, par la magie de ce cordon sanitaire, en quelques mois, je me retrouvais seul face à elle, à la merci de ses moindres caprices transformés en lois.

Mais Rebecca avait surtout orienté sa vengeance sur ma virilité défaite. L'argument était bas, mais, personnage vil et mesquin moi-même, je ne pouvais exiger qu'elle me traitât avec plus d'égards que je ne l'avais traitée autrefois. Pour pallier ma déficience, dès les premières semaines elle eut recours à des cohortes de suppléants qui venaient passer la nuit chez nous. Elle aimait particulièrement les adolescents à la braguette coléreuse, à la voix canaille. Au début, je ne devais supporter que ses cris. Puis elle exigea que j'assiste aux scènes, tenant à m'initier aux mystères de ses amours actuelles. Si je m'y refusais, elle venait avec le galant fonctionner dans ma chambre. En ces instants, Didier, elle ne savait qu'inventer pour me rabaisser ; généralement ivre ou sous l'influence de la drogue, elle hurlait à haute voix, se mettait dans les postures les plus provocantes, chantait des indécences. Ou bien, elle m'accrochait une pancarte autour du cou : « Attention, érection exceptionnelle. » Représentez-vous mon supplice, ces longues nuits sans dormir, mes artères qui bouillonnaient, mon cœur qui montait dans ma gorge, mes mains que je mordais pour les calmer. Parfois, je me faisais insulter par le rival ; certains me provoquaient ou m'empruntaient un livre quand ce n'était pas Rebecca elle-même qui leur donnait un objet personnel auquel je tenais.

Un soir, ces plaisanteries humiliantes tournèrent au quasi-drame et me portèrent au comble de l'ulcération. Rebecca, de retour de ses cours de danse, avait levé dans la rue deux rockers d'une vingtaine d'années chacun, style méchants durs, gorilles de cuir, blousons cloutés, bananes sur le front, santiags pointues, badges d'Elvis et anneaux dans l'oreille, bref, toute la panoplie des babouins gominés. Ils me reniflèrent avec une mauvaise arrogance et eurent un ricanement bizarre quand Rebecca leur eut révélé mon identité. Ils semblaient irrités de ma présence, flairaient dans mon infirmité comme un piège qui les intriguait. Ma belle, devant eux, se montrait plus accueillante, plus minaudière que jamais, et le contraste entre son badinage aimable et leurs borborygmes argotiques me tordait le cœur. Après un rapide dîner où ces rustres de banlieue ne manquèrent pas une occasion d'étaler leur grossièreté, elle les entreprit sensuellement et rendit à chacun les hommages de sa bouche. Autant vous dire que les brutes profitèrent de l'aubaine : ils se mirent en tête de sodomiser mon infirmière. Elle eut beau s'y refuser, ils sortirent un rasoir qu'ils placèrent sous sa gorge et la forcèrent à s'exécuter. La farce tournait à l'horreur. Tout en officiant, ils la giflaient et lui tiraient les cheveux. Et ils riaient, lui criant toutes les horreurs que l'imaginaire masculin a pu inventer pour ravaler les femmes. Leur viol perpétré, ils me renversèrent de ma chaise, agitèrent les jambes en ciseaux, m'obligèrent à me mettre debout, me rattrapant chaque fois que je flanchais.

— Sors-le ton service trois-pièces, fais voir ce qui te reste, hurlaient-ils en s'excitant à grandes tapes.

Quoique je m'attendisse à tout, j'étais atterré comme si le mal absolu s'était brusquement présenté à moi dans toute sa laideur. Je ne pouvais croire à ce qui m'arrivait et m'attendais au pire. Je n'avais la force ni de les insulter ni même de libérer l'affreux gémissement dont ma bouche était emplie. Pauvre scarabée tombé sur le dos, pédalant de ses moignons, je glapissais : « Laissez-nous, je vous en prie, partez. » Hélas, ils nous auraient traités avec plus d'égards si Rebecca les avait fait payer comme une putain. Mais cette offrande sans argent avait éveillé les pires instincts dans leur cervelle de barbares. Et ils saccageaient méthodiquement à coups de bottes et de rasoirs l'appartement, arrachant les étagères et les rideaux, brisant la vaisselle, les glaces, les vitres, crevant les matelas, éventrant les placards, lacérant les murs, renversant les tables, les chaises et, pour finir, emportant tout l'argent liquide dont nous disposions et quelques objets de valeur. Et que croyez-vous que faisait Rebecca? La garce pleurait affalée par terre, l'œil poché, ses vêtements déchirés, les jambes tremblantes, secouées de spasmes et elle répétait entre deux sanglots : « C'est de ta faute, c'est tout de ta faute, ce sera toujours de ta faute. »

Ainsi mes jours se consumaient dans l'attente des mauvais tours que mon épouse imaginait pour se venger de moi. Un matin, je m'éveillai dans une semi-obscurité : les rideaux étaient tirés, un catafalque tendu sur la porte et deux chandeliers brûlaient sur une table. Une croix noire, une de ces immondes croix de cimetière, était posée entre mes mains et Rebecca pleurait doucement près du lit. Angoissé par cette atmosphère funèbre, je lui demandai :

— Que se passe-t-il ?

— Chut, fit-elle, tu es mort hier soir, je te veille.

— Mort ?...

— Oui, une embolie cérébrale, pendant la nuit, tu seras mis en bière dans une heure.

Alors paralysé de terreur, impressionné par cette mise en scène, je hurlai jusqu'à m'évanouir tandis que ma maîtresse éclatait d'un rire sauvage.

Elle avait institué également tout un système de punitions et de vexations selon qu'elle me jugeait docile ou non. Par exemple, elle négligeait de me laver et de me

194

transporter pendant une semaine, me laissant baigner dans mes excréments. Et chaque fois qu'elle passait près de moi, elle se pinçait le nez, m'appelait « Pue-la-Merde », la « Schlingue », et attendait que je sois couvert d'escares et de plaies, que l'odeur devienne insupportable au point de l'incommoder elle-même. Ou encore elle m'affamait deux ou trois jours durant, ne me concédant que des verres d'eau. Pendant les soins, elle feignait la maladresse, s'amusait à recommencer cinq ou six fois la même piqûre, cassant parfois l'aiguille dans le derme. Chaque fois, il me fallait endurer ces supplices sans broncher.

Vous vous en souvenez peut-être, je me vantais hier d'avoir, au temps de ma splendeur, dressé mon fils contre Rebecca; curieusement, en dépit du blocus qu'elle faisait autour de moi, mon épouse n'interdit jamais au petit de me rendre visite; mes liens avec lui s'étaient d'ailleurs relâchés, l'image du père tout-puissant s'était écaillée dans son esprit après mon accident. Il me considérait maintenant avec une vague commisération et, me voyant maltraité, par cet automatisme de bambin qui adule les plus forts, il reporta toute son affection sur Rebecca. Matthieu, tel est son nom, venait d'avoir treize ans, l'homme et l'enfant se disputaient ce corps en pleine croissance où la puberté affirmait déjà ses droits. Un soir qu'il dînait chez nous — avant de repartir chez sa mère —, Rebecca se livra sur lui à une véritable entreprise de séduction. Vêtue d'une robe ultra-courte et d'un décolleté outrageant, elle ne cessait de lui prendre la main, de l'agacer en étalant ses appâts sous son nez. Je fulminais :

— Tu as fini d'exciter ce petit ?

Que n'avais-je pas dit ? Elle n'attendait que mon intervention pour agir.

— Pauvre tronc puant, cloporte à roulettes, tu vois vraiment du mal partout. Regarde ton père, Matthieu, il est tellement obsédé par le sexe que tout est sale et louche pour lui.

— C'est vrai, acquiesça le garçon, il n'a jamais parlé que de sexe à la maison.

— Tu veux que je l'excite vraiment, ce petit, tu veux que je te montre de quoi je suis capable? Matthieu, embrasse-moi sur la bouche.

L'adolescent ricana d'abord en me regardant, puis, encouragé par Rebecca, rassuré par mon infirmité, il s'exécuta. Vous devinez la suite: la nature toute neuve ne tarda pas à s'éveiller chez mon fils malgré la honte qu'il en avait.

— Oh! le joli perchoir que je devine là, susurrait Rebecca en regardant ses jambes, comme il paraît développé!

— Assez, criai-je.

— Ne l'écoute pas, disait Rebecca doucement, soulignant mon affolement par sa maîtrise, il veut te garder en enfance, mais tu n'es plus un enfant, Matthieu, tu es un adulte aujourd'hui, et tu peux le prouver en disant non à ton père.

Excité par cette harpie, mon fils me toisait avec mépris.

— Matthieu, rentre chez toi, ta mère t'attend.

— Tais-toi, souffla-t-il, tu n'as aucun droit de me donner un ordre, je ne suis plus un gosse, mange et tais-toi.

Rebecca exultait:

— Tu es magnifique, Matthieu. J'attendais cet instant avec impatience, j'ai toujours pensé que tu valais mieux que ton père, de toute façon, tu es plus beau que lui. Dis-moi, tu n'as jamais dormi avec une femme? Tu veux connaître le plaisir, la douceur absolue? Viens, je vais te faire le plus beau cadeau qui soit, tu vas devenir un homme, laissons ce malade à ses rancœurs.

Et se tournant vers moi, elle ajouta sur le ton le plus naturel:

— Franz, débarrasse la table et regarde la télévision si tu veux. Mais surtout n'oublie jamais que tu nous casses les pieds, que tu es moche et vieux, et que tu pues!

Moi qui avais toujours tout fait devant mon fils, mettant

196

même une sorte de bravade dans cette exhibition, je dus supporter les murmures, les soupirs des amants incestueux derrière la porte à peine poussée. Cette nuit-là, je crois, j'ai touché le fond.

Aujourd'hui, le cauchemar a pâli pour laisser émerger un monde plus gris, plus flou. Nous nous sommes ménagé une vie dans les interstices du désespoir et de l'infamie. Les désirs vengeurs de Rebecca, sa haine elle-même, largement assouvie, ont fait place à une coexistence froide. Je me survis et ne connais plus que le bonheur hypnotique des injections de morphine qu'on me fait presque chaque jour pour calmer mes souffrances. Comme ces êtres qui rabâchent l'unique aventure de leur existence, je raconte mon histoire à qui veut l'entendre, je n'ai plus que la ressource des paroles pour exorciser mon destin, renouer les fibres que l'accident a brisées. Pénélope à l'envers, reconstituant une tapisserie déchirée, je parle afin de continuer à être. J'entends les rumeurs de la ville, le bruissement des rues ; les chemins, les plaines adressent de tendres messages à mes jambes gangrenées et j'envie le moindre vieillard qui arpente les trottoirs.

Tout est perdu d'une vie que l'extrême futilité, l'extrême égoïsme ont fait virer à l'atroce. Je hais cette société qui nous condamne à être libres, et laisse reposer sur chaque homme le poids et la responsabilité de son destin. Trente années durant, j'aurai tenté par le papillonnage, la perversion, le travail d'échapper à la glu de la médiocrité, aux bassesses de la vie courante, et chaque fois, insensiblement, j'aurai été ramené sur les rives de la platitude, plus bas encore que d'où j'étais parti. En tout cas, j'aurai mené jusqu'au bout mon goût du martyre : j'ai payé pour le sexe masculin dans son entier ma dette envers les femmes, j'ai pris sur moi toute l'horreur de la brute virile afin d'en purger la terre.

Qu'importe : j'aime à nouveau Rebecca. Je ne vois plus

qu'elle, n'ai plus dans l'esprit que sa pensée, et son nom monte incessamment à mes lèvres comme aux lèvres du croyant les mille noms de Dieu. Cet affreux intervalle de son âge au mien va en s'aggravant : chaque jour elle rajeunit et me donne des années. Je sais qu'avec aucune femme je ne retrouverai cet élan dans l'amour comme cet acharnement dans la cruauté. Je n'ai plus le choix : je suis contraint à sa compagnie. Je crains qu'elle ne retombe amoureuse d'un autre. Elle ne reste à mes côtés que pour ma pension d'invalide. Aussi je préfère, comment dire, arranger ses liaisons avec son accord plutôt que de les ignorer. Elle a cru aimer certains de ses amants : elle s'en est détachée. Mais l'urgence de la revanche s'étant affadie, je la sens beaucoup plus disponible aux langueurs sentimentales ; et je vis avec cette épée de Damoclès suspendue au-dessus de moi. Quel paradoxe, Didier : je vous confie cette crainte au moment même peut-être où vous allez me ravir Rebecca. Si, si, ne protestez pas, vous êtes pour moi un redoutable rival. Je vous sens si fin, si complexe ! Mais je vous embête avec mes malheurs, vous vous moquez de mes histoires.

Son œil était hagard, sa voix allait s'éteignant, il répéta encore plusieurs fois machinalement « mes histoires » comme une cloche qui prolonge sa dernière vibration. Je ne prenais pas la peine de le démentir. Le vieux bougre avait espéré me refiler l'ardoise de ses humeurs chagrines mais j'estimais ses malheurs bien mérités. Et secrètement germait en moi le mépris pour cet être qui s'était laissé vaincre par une femme après avoir tenté de l'écraser. Pourtant, comment croire Rebecca coupable d'un tel crime ? Si Franz avait menti dans le seul but de calomnier son épouse, s'il avait eu un accident tout simplement ? J'allais quitter l'infirme, perdu dans l'immensité de sa commisération pour lui-même, quand il me demanda :

— Vous ne craignez pas de peiner Béatrice en engageant un flirt avec ma Rebecca ?

Cette sollicitude m'étonna.

Avec désinvolture, je répondis :

— Qu'est-ce que ça peut vous faire ?

Il me regardait. Il avait saisi un transistor à cassettes dont il manipulait les boutons nerveusement.

— Je ne sais pas... Elle est jolie pourtant Béatrice ?

— Quand on la voit pour la première fois, c'est vrai.

— Certes, ce n'est pas une pin-up...

— Vous l'avez dit !

— Mais il y a pourtant une complicité entre vous ?

— Nous avons des habitudes, c'est notre principale connivence.

— Je suis sûr que vous exagérez : alors pourquoi ce voyage ?

— Un besoin de casser la routine pour la renforcer ensuite, une décision irréfléchie.

— Quatre fois, dit l'infirme.

— Quatre fois quoi ?

— Vous avez renié Béatrice quatre fois.

Ce vocabulaire évangélique m'agaçait.

— Je n'ai renié personne. Qu'est-ce que ça veut dire encore ?

Franz reposa son transistor.

— Oubliez mes paroles. Bonsoir, Didier, à tout à l'heure pour la fête.

Nous avions laissé Athènes sans que je m'en aperçoive. J'allai respirer l'air sur la proue et retrouvai dehors le murmure des flots accablés qui moutonnaient, comme si les dieux y avaient éparpillé les plumes d'un édredon. La tempête était proche et les secousses de plus en plus violentes du vent galopaient à la surface de l'eau en lui soulevant les flancs. Un mur d'air froid parcourut le pont supérieur, et brutalement la bourrasque augmenta, lançant furieusement ses crochets de droite et de gauche.

Étouffé par ces souffles, je réintégrai vite les quartiers protégés. Mais je n'étais guère pressé de retourner à la cabine où Béatrice devait m'attendre, l'œil humide, le nez grossi de s'être trop mouchée. Comment la mettre entre parenthèses, le temps d'assouvir ma faim de cette étrangère ? Être ferme, oui, ne pas céder, ferme et courtois. Lui dire : Rebecca m'intéresse mais cela ne te concerne pas. Après tout, zut, nous ne sommes plus au XIXe siècle, soyons un couple moderne, vivons librement nos désirs. Si, toi-même, tu penches pour un homme, ne te gêne pas, je saurai me montrer libéral : Raj Tiwari, par exemple, a de l'humour ; Marcello a vécu des expériences intéressantes. A moins que tu ne préfères un membre de l'équipage. Allons, courage !

Mal à l'aise, incertain, j'ouvris la porte de notre réduit. Béatrice, verdâtre, gisait sur sa couchette. Une odeur aigre de rendu témoignait sans contestation possible en faveur d'un élément nouveau : le mal de mer. A croire qu'elle avait entendu mon appel et s'était rendue malade pour ne pas m'embarrasser.

— Au moins, je ne te dérangerai pas, gémit-elle à voix basse.

— Tu ne m'as jamais dérangé.

Livide, elle me saisit par le bras de ses mains glaciales :

— Oh ! comme l'année se termine mal, j'ai envie de mourir.

Je pouvais bien jouer les inquiets, remonter ses couvertures, l'interroger sur l'Acropole, l'embrasser sur le front, sonner un steward pour qu'il appelle le médecin, je cachais mal mon bonheur. J'exultais, piaffais. Pouvais-je rêver malaise plus opportun ? J'avais pour moi non seulement la soirée et la nuit entière, mais en plus l'impunité et l'innocence. Donc pas d'explications à fournir, pas de rancunes, pas de traces : le crime parfait. Merci tempête, merci mauvais temps, merci docteur pour avoir prescrit à la malade un somnifère, le repos et la diète jusqu'au lendemain. Enfin, j'allais voler de mes propres ailes, danser avec la plus jolie femme du bord sans encourir la désapprobation chagrine de ma douairière. Pauvre Béatrice : elle n'était plus dans la course ; trente années mais mentalement et physiquement dix de plus que moi. Je respirais à pleins poumons, assailli d'espérances, soulevé par l'approche d'un bonheur aussi précieux qu'inattendu. L'image de l'infirme me traversa l'esprit et, pour la première fois, je le trouvais presque sympathique. Il n'avait pas eu de chance finalement ce type-là, il était plus malheureux que méchant et j'avais presque envie d'aller lui serrer la main, de lui donner une grande bourrade d'amitié dans le dos. Dans ces admirables dispositions, le reste de l'après-midi fut court et s'émietta entre mes doigts sans rien y laisser que du vide. Entièrement tendu vers l'heureux instant, je pris une douche, m'habillai sobrement d'une chemise blanche et d'un velours propre, enfilai un léger pull, cirai mes chaussures et, sous l'œil retourné de ma chère et tendre, me rasai de près en sifflotant, parfumant mes joues d'une bonne eau de toilette.

Enfin la cloche du navire tinta, annonçant le début de la Saint-Sylvestre.

— Tu es sûre de ne pas pouvoir te lever ? demandai-je avec un immense sourire à ma dulcinée blanche comme linge.

— Laisse-moi, va t'amuser.

— Tu vas me manquer, tu sais.

— Tu me remplaceras vite, expira-t-elle dans un soupir, et elle se remit à râler.

Je murmurai un prévenant « Bonsoir, chérie », et refermai doucement la porte. L'heure était donc venue d'être soumis à l'épreuve. Allons, l'ébauche avait suffi : il était temps de consommer. La brièveté de la traversée m'obligeait à être prompt. Et je me promettais de mener

cette affaire rondement, certain d'avoir la fortune à mes
côtés.

De quelle façon commença cette fatale soirée; avec
quelle perfide beauté! Illuminé tel un immense gâteau
d'anniversaire, ses ponts tout bruissants de musique et de
rires, le *Truva* célébrait le Nouvel An entre Athènes et
Istanbul sous un ciel noir et menaçant. Le paquebot avait
pris cet air canaille et frivole des bateaux de croisière
dont la vocation est de dispenser plaisir et insouciance. Il
avait l'air d'un accessoire de théâtre flottant sur une
immense scène liquide. Les visages s'illuminaient, les
faces les plus rébarbatives se mettaient soudain à exister
en fonction du regard des autres. Ces passagers, qui
s'étaient ennuyés à périr toute une journée dans une
cabine ou au bar à bâiller, boire et battre les cartes, rap-
pliquaient, pomponnés et lustrés, dans la grande salle à
manger, transformée pour l'occasion en salle des fêtes,
couronnée de guirlandes. C'était une énergie nerveuse,
une impatience à peine déguisée qui s'étendait des plus
jeunes aux plus vieux et d'où sortait la nouvelle année. Le
grand escalier qui conduisait aux festivités, sans relâche
remonté et descendu par un double courant, ruisselait
comme une cascade dans un lac. Sous l'effet du roulis,
les voyageurs avaient la démarche clopinante de qui voit
le sol se dérober sous lui. Et n'eût été l'heure précoce, on
les eût pris, dans leur boitement risible, pour une troupe
d'ivrognes en équilibre sur des montagnes russes. En raison du gros temps, la direction avait remplacé le tradi-
tionnel dîner de réveillon par un buffet froid, plus com-
mode à servir, et vidé l'immense salle à manger de ses
tables afin de laisser plus grande latitude aux danseurs.
Un orchestre italien devait animer la soirée.

Dans la salle, autour de moi, l'excitation montait et
débordait en conversations futiles et brillantes comme
des coupes de champagne. Les femmes palpitaient et

bruissaient, couvertes de couleurs éclatantes ou sages, la mode étant ce soir-là, chez les Européennes du moins, aux décolletés profonds. Les gens allaient et venaient avec des simagrées enfantines, se souriaient enfin après s'être ignorés quatre jours durant. Tous ces dialogues, ces bavardages augmentaient le volume sonore de la pièce jusqu'à couvrir le mugissement de la mer.

Je retrouvai Rebecca au bar, sirotant un cocktail, entourée déjà d'une foule d'admirateurs qui, dans toute les langues de la terre, essayaient de la captiver. Elle portait des collants noirs et une courte robe de satin rose qui bâillait derrière en un déshabillé profond jusqu'à mireins, dégageant un dos nu couleur de miel. Elle agitait un long fume-cigarettes en nacre et souriait aux plaisanteries d'un Levantin bedonnant, que d'autres mâles tentaient d'évincer par des grimaces ou des remarques à voix haute à seule fin d'attirer l'attention de leur idole.

Sa beauté, ce soir-là, me stupéfia au point que j'en eus le souffle coupé. Assise sur son tabouret, les jambes croisées, elle répandait une sorte de lumière qui m'éblouit tout d'abord. Elle éclairait ce lieu bizarre, déjà noyé sous les lampes et les lustres qu'elle éclipsait au point qu'ils en passaient pour de l'ombre. Ses cheveux noués en arrière dégageaient la pureté minérale de son visage. Elle mettait presque mal à l'aise, dressant entre elle et les vivants le mur de sa perfection. Au nombre des courtisans qui faisaient cercle autour d'elle, je compris avec un pincement douloureux la distance qui me séparait encore de la réalisation de mes vœux. J'avais peur de lui sembler niais, trop timoré, je sentais en elle une habitude de la luxure, une intelligence du désir qui m'embarrassaient. Le mouvement de sa haute taille s'inclinant pour rattacher une sangle de ses bottes, l'élasticité de son assise, la vertigineuse certitude qu'au milieu de cette population de villégiature il n'y avait qu'elle d'intéressant me prenaient de court. J'avançais vers elle avec la lenteur somnambulique de celui qu'hypnotise un objet merveilleux dont il n'épuisera jamais la richesse. Dès qu'elle m'aperçut, elle écarta le cercle de ses galants et m'adressa un sourire de jeune coquette qui encourage un prétendant trop timide.

— Viens, Didier, offre-moi un verre. Tu es seul?

Je lui fis part des malaises de Béatrice, et elle parut secrètement égayée de cette absence. Cette complicité immédiate m'enchanta. Hélas, ma bonne fortune se heurtait à la froideur des autres concurrents qui me considéraient sans aménité. Et la cohue de la soirée, les nombreux adulateurs qui venaient interrompre notre entretien pour débiter des fadaises ne pouvaient que freiner mes entreprises. Environné d'êtres jacassants qui me crevaient les tympans, j'aspirais à quelque retraite plus discrète et suggérai à Rebecca une promenade.

— D'accord, allons chercher Franz dans sa cabine. Tu m'aideras à le transporter.

Elle fendit la foule avec une insolence délicieuse, se sentant sûre d'elle, et j'admirais le sang-froid de cette femme qui ne se montrait à demi nue que pour mieux écarter les désirs trop osés : moulée dans ce satin rose et dans ce collant qui gainait ses jambes, elle était plus indécente que si elle n'avait rien porté. Et ce n'était pas un rose congestionné, vulgaire de pâtisserie, mais une couleur exquise, une chaleur autant qu'un drapé : un rose de boîte de chocolats très coûteux et somptueusement garnis.

Il n'y avait que cinq minutes à peine entre le salon et l'étage des premières classes mais ces minutes m'étaient essentielles. C'était l'occasion ou jamais d'entreprendre Rebecca loin des curieux. Pourtant, quel que fût mon courage, je ne me vis pas plus longtemps seul dans le couloir avec elle que la terreur me saisit et je me mis à trembler. Je ne suis pas de cette race qu'on nomme les

204

« dragueurs » ; inapte à l'audace comme à l'à-propos, la crainte me rend horriblement difficile le premier geste. Je mets dans les actes simples beaucoup plus que la majorité des gens ; et puis je regardais l'affront d'être rebuté comme le plus cruel qui soit. Laissé à moi seul, sans le support d'un excitant quelconque, toutes les envies qui m'animaient cédèrent aux irrésolutions d'une adolescence que je ne sentais pas morte, malgré mon âge. Je tendis la main pour attraper la sienne mais me rétractai : je n'osais pas. La toucher, qui n'était rien, ne pouvait paraître redoutable qu'à quelqu'un d'aussi peu hardi que moi. Ce côtoiement dans un endroit solitaire me faisait frissonner. Heureusement, un cahot du bateau me jeta contre elle ; par un courage irraisonné de timide je la saisis à pleine taille et collai ma bouche à la sienne. Je crus qu'il y aurait lutte, résistance avant la reddition mais, loin de se débattre, elle fit la morte entre mes bras, ses mains gisant, inertes, le long du corps. Son approbation m'accablait plus qu'un franc refus. Embrasse-moi si tu veux, semblait-elle dire, je suis ailleurs, je subis avec patience tes tentatives. Alors, je baisai éperdument ses épaules nues et lui murmurai :

— J'ai bien peur d'être amoureux de toi. Et ce n'est pas ce qui pouvait m'arriver de mieux. Je suis dans un état impossible depuis quelques jours.

Elle ne dit rien d'abord, une main posée sur ma poitrine, mais soudain, se dégageant, elle me repoussa d'un air ennuyé.

— Arrête, Didier, tu baves sur ma robe et tu vas la salir.

J'étais déçu, mais, tout à une exubérance que je trouve bouffonne aujourd'hui, j'ajoutai :

— Je ne connais rien d'aussi rafraîchissant que tes lèvres.

Elle pouffa de rire :

— Tu parles comme une réclame de dentifrice !

Blessé par ce jugement, je la lâchai et, jusqu'à la cabine de Franz, la suivis, en silence, tel un chien battu, furieux de n'avoir pas trouvé de répliques appropriées, incertain une fois encore sur ses intentions. Si elle me voulait, pourquoi ne le disait-elle pas. Si elle ne me voulait pas, pourquoi cet emportement enthousiaste quand elle me voyait ? Mais ce soir-là, je ne me résignais pas à ce qu'elle m'échappe, même si je devais composer avec son caractère fantasque. Peut-être n'avais-je pas assez attendu, respecté les délais. Je me rassurais avec cette pensée : elle n'usait d'un peu de défense que pour mieux enflammer mon désir.

Franz n'avait pas bonne mine : ramassé sur lui-même, sphinx comprimé dans sa petite chaise, il paraissait abattu. Sa pâleur presque bleutée trahissait une grande lassitude. Il ne me salua même pas, tout absorbé qu'il était par Rebecca.

— Nous venons te chercher, dit-elle, prépare-toi.

La tête de l'infirme s'étira soudain.

— Reste, supplia-t-il, n'y allons pas.

Elle lui tapota les joues.

— Ne fais pas le bébé.

Je croyais être l'objet qui détournait cette femme de son mari et, gêné, baissais la tête. Je ne pus m'empêcher de regarder les jambes mortes du handicapé, couvertes d'un maigre pantalon de flanelle, et remontai vers son visage où la prière luttait contre la panique. J'avais de la commissération pour cet homme qui portait en lui la fatigue de toutes les empoignades qui l'avaient mêlé à son épouse. Des tics écartelaient sa bouche en un rictus sournois. Dans son angoisse, il ne savait que répéter :

— Reste, reste...

— Tais-toi, ne recommence pas tes comédies.

Elle déshabilla l'infirme, lui passa une chemise ; il se laissait faire avec une docilité parfaite, il avait le torse maigre, disproportionné par rapport aux muscles des bras, et j'eus un mouvement de recul devant cet étroit bouclier au blason de poils blonds.

Subitement, le malade, mis en appétit par ce jeune corps qui se dressait devant lui, arrêta ses pleurnicheries et se mit à le palper, le toucher sans vergogne. Rebecca se laissait faire. Cette passivité m'horrifia, moins pourtant que ce qui allait suivre.

Franz avait relevé jusqu'à mi-hanches la robe de Rebecca, baissé son collant jusqu'à la naissance des cuisses et dégagé une culotte blanche échancrée que surmontait une chaîne. Je croyais rêver : ce strip-tease devant moi gâchait tout. Je fermais les yeux, les rouvrais. Une tache sombre sous le tissu laissait deviner un pubis luxuriant. L'infirme y appliquait fébrilement la bouche, malaxant de ses mains les fesses de son épouse. J'aurais dû sortir à cet instant ; mais j'étais hypnotisé par le sans-gêne de cet individu dont les doigts s'enfonçaient dans les chairs, limaces indécentes et visqueuses. Rebecca, une cigarette à la bouche, se laissait caresser sans broncher tout en peignant les maigres cheveux de son époux. On eût dit une mère complaisante bichonnant son enfant. Tant de familiarité me révulsa. Qui étais-je pour qu'elle se dénude ainsi devant moi ? Pas plus qu'un esclave devant sa reine... Cette dérogation à l'ordre habituel de la séduction n'était pas à mon honneur. En m'imposant sa nudité, elle avait cassé le trouble et, pour continuer à m'émouvoir, elle devait se rhabiller. Tout à ses grivoiseries, son mari la tâtait, la suçait avec une gloutonnerie de nourrisson, et je trouvais écœurant le contraste entre cette tête à demi chauve et cette bouche qui mendiait du plaisir. Rebecca me fixait avec crânerie.

— Tu es pétrifié, hein, de te retrouver devant ton fantasme en chair et en os ? Tu veux peut-être ta part aussi ? Tu seras plus tranquille ensuite.

Se dégageant de l'étreinte du mari, elle s'approcha de moi, tenant sa robe relevée des deux mains.

— Non, pas comme ça, m'exclamai-je avant même qu'elle m'eût approché.

— Ma parole, il fait le difficile ! C'est pourtant bien pour ça que tu me tournes autour depuis le début.

Je perdis tout mon aplomb et bafouillai :

— Pourquoi te moques-tu de moi ?

— Quoi ! Je t'offre ce que chacun à bord rêve de toucher et tu joues au délicat.

— Tu ne comprends donc pas, renchérit Franz, que ce jeune homme est attaché aux protocoles, tu as bouleversé son rituel, il est paniqué.

— Tant pis pour lui !

Elle laissa retomber sa robe, remonta son collant, et alla se recoiffer devant une glace. Furieux de mon manque d'à-propos, conscient de passer aux yeux de ce couple roué pour un puceau, je me maudissais intérieurement.

— Dépêche-toi, Franz, j'entends déjà jouer l'orchestre.

L'infirme, qui boutonnait sa veste, me considéra avec un sourire narquois :

— Vraiment, Didier, vous avez un chic pour les faire capituler ! Si j'étais Béatrice, je n'en dormirais pas de la nuit.

— Laisse-le, dit Rebecca, dissimulant mal son envie de rire, tu vas encore plus le bloquer.

Je les observais tous les deux et les découvrais entremêlés comme les mailles d'un filet d'où j'étais exclu. Un pacte obscur de vice et de sang les soudait, malgré leur inimitié, comme les deux ciseaux d'une tenaille. Moi qui avais naïvement espéré une petite place en tiers dans leur intimité infernale ! Mais je rejetais sur Franz la responsabilité des sarcasmes de Rebecca. Les circonstances immédiates me permirent d'assouvir mon ressentiment.

Le navire, je l'ai dit, prenait de la gîte. Quand nous fûmes dans le couloir, il devint très difficile de diriger la chaise roulante. Alors, une pensée mauvaise s'empara de moi : je lâchai le guidon de l'appui-tête : le bateau venait de plonger, le fauteuil partit en avant, emboutit une porte et repartit en arrière. C'était un miracle que l'infirme ne soit pas tombé.

— Mais faites donc attention, cria-t-il.

Je me croisai les bras et laissai le siège passer devant moi sans le rattraper. Rebecca, qui avait aussitôt adhéré au jeu, le reprit et me le renvoya. Franz gémissait : son véhicule rebondissait de droite et de gauche contre les parois à chaque dénivellation du paquebot, toujours prêt de verser, et nous nous le passions comme une balle dans une prodigieuse mêlée où l'essentiel était de garder l'équilibre. Franz tentait de contrôler sa chaise en freinant la jante extérieure avec les mains, mais l'inclination de la coursive, nos poussées vigoureuses avaient raison de lui. Quand il eut compris que nous jouions avec lui, sa prunelle se brouilla comme une eau malsaine envasée par la terreur. Je ne sais quelle cruauté était passée de ce couple en moi, mais je me régalais de voir le paralytique lutter contre la peur ; ne m'avait-il pas soufflé cette mauvaise action ? En le torturant, ne restais-je pas fidèle à son message ? Et puis Rebecca riait, riait sans trêve, et je mettais au-dessus de tout son approbation, j'aurais fait n'importe quoi pour lui plaire. Nous aurions pu blesser Franz, le tuer peut-être. Je n'en avais cure : il déclinait d'instant en instant, il avait ce visage creux et blanc des agonisants crispés par une douleur affreuse. Il tremblait de tout son torse et l'effroi semblait même s'être communiqué à ses membres morts. Il tourna vers nous une face livide, et dit d'une voix saccadée :

— Arrête... Rebecca... je t'en prie...

C'était donc ça le petit tas d'ordures qui m'avait offensé : un cul-de-jatte qui gémissait comme une femelle. Et je me disais avec une joie fourbe : toi, je vais te faire passer le goût de l'ironie, tu vas payer très cher tes réflexions. La jeune fille, secouée par un fou rire, s'appuyait contre le mur pour reprendre haleine.

— Oh ! C'est trop drôle. Si tu voyais ta tête, Franz !

Le misérable avait mis sa main devant les yeux pour ne plus voir et poussait des soupirs de rage qui soulevaient toute sa poitrine. La colère, la haine, le désespoir, la crainte se disputaient en lui : se sentant à notre merci, toute l'horreur de son ancien tourment l'avait recouvert jusqu'au bout des ongles. Il n'avait plus de lèvres tant elles étaient blanches, deux trous creusaient ses joues, sa face vide et pendante lui donnait l'allure d'un oiseau de nuit effaré. Ses lamentations, contenues jusque-là, éclatèrent comme celles de pleureuses de funérailles.

— Au secours, geignait-il pitoyablement, au secours.

Je jouissais de le voir pleurnicher, s'aplatir, s'humilier comme un être méprisable, mais un marin qui débouchait d'un couloir demanda en anglais qui avait crié.

— Ce n'est rien, fit Rebecca, nous avons lâché mon mari par mégarde et il a pris peur.

Le matelot nous proposa son aide. En quelques instants, Franz avait recouvré son sang-froid, mais il continuait à trembler et se cramponnait au fauteuil, craignant encore de perdre l'équilibre.

— Ce n'est pas gentil, Didier, ce que vous avez fait là...

— C'était pour rire, il n'y avait aucun risque.

— Il n'empêche, vous avez pris plaisir à être méchant avec moi comme si je vous avais jamais fait du mal...

Vaguement honteux, je haussai les épaules, remarquant soudain que je vouvoyais depuis quatre jours cet homme qui avait mon âge bien qu'il en paraisse dix de plus : le tutoiement restait impensable entre nous.

Dans la salle à manger, la fête battait déjà son plein. Après notre intimité à trois, ces retrouvailles avec le peuple piaillard des noceurs m'étourdit ; c'étaient des voix innombrables, des sifflements, la rumeur inconnue et joyeuse d'une foule à qui l'on a accordé licence de s'amuser et qui s'affolait d'alcool, de bruit et de musique. Et au-dessus de ce vacarme, dominait le vibrato des guitares électriques amplifiées par une sono agressive. L'orchestre jouait avec plus ou moins de bonheur un répertoire international, où dominaient les grandes compositions anglaises et américaines de rock et de pop-musique. Les corps, pressés, absorbaient à longs traits la sueur qui flottait en suspension dans la vaste pièce. La circulation incessante entre la salle, les toilettes et le bar provoquait de nombreux embouteillages.

Dès qu'elle eut déposé son mari dans un coin, proche du buffet, Rebecca se mit à voltiger de couple en couple, embrassant chaque homme ou garçon tel un grand oiseau picoreur. A chaque mouvement, elle attirait l'attention, créait un halo qui envoûtait les spectateurs ; les regards se posaient sur elle comme des guêpes, sans la piquer et encore moins l'effaroucher. Vêtue de caresses, d'œils langoureux, elle était la reine qui traînait un bouffon en petite chaise et régnait sur un royaume grand comme une salle à manger et peuplé de cinquante sujets. Comme elle avait bien surmonté les épreuves et su reconquérir sa dignité ! Elle commença à danser. Subitement on eût dit qu'un fil invisible avait tiré tous les yeux vers la piste, je n'étais pas le seul à vivre sous l'enchantement de cette diablesse qui accrochait les convoitises aux moindres torsions de son bassin. Une gaieté profonde illuminait son visage, une joie sincère de se savoir admirée, et elle distribuait des sourires adressés de si loin qu'on n'osait y répondre. Quoique sous son charme, j'enrageais de ce magnétisme, me disant que je ne pourrais la récupérer quand elle se grisait des hommages publics : me récompenser lui serait une perte, une soustraction. Pourtant, je me sentais prêt à avaler toutes les couleuvres pour l'avoir. J'y mettais presque un point d'honneur, ne lui en voulant pas de ces pièges, de ces chausse-trapes qui attisaient mon désir au lieu de l'éteindre. Au fond, j'adorais cet enfer délicieux que je n'avais jamais connu, et me découvrais une autre nature. Je n'aimais plus Béatrice qui m'acceptait tel que j'étais et désirais Rebecca qui ne voulait pas de moi.

Je bus un grand verre de whisky, serrai distraitement des mains amies et avançai. Une force me poussait vers la piste de danse houleuse et bigarrée d'autant que la musique — un *rythm and blues* célèbre des années 60 — me démangeait les jambes. Je me jetai avec insouciance dans une cohue de marins chamarrés, de Nordiques chevelus, d'Orientaux basanés ou blonds qui se dégingandaient de façon si libre que leur maladresse me rassura : au moins je ne pourrais pas danser moins bien qu'eux. Je souriais à des couples, adressais la parole à deux jolies fillettes qui se faisaient face, je me sentais à l'aise. Et, insensiblement, me frayant un chemin dans cette forêt de corps, je m'approchai de Rebecca :

— Coucou, Travolta, on se lance ?

J'eus un sourire niais. J'arrivais à prendre cette raillerie pour un compliment ! Soudain, d'être face à elle, je me sentis ridicule : nos deux silhouettes rapprochées formant presque couple devaient composer une alliance bizarre qui faisait rire. Sa pompe intimidante se rehaussait de ma balourdise. Copie gauche et contrainte, je tentais d'insérer ma personnalité médiocre à côté du ballet de ses pieds crépitant sur la piste. Le regret de ne pas savoir danser, contrepartie de tristes études de lettres, m'effleura. La danse, le pop, le disco constituaient un monde dont Béatrice et moi nous étions soigneusement tenus à l'écart, l'imaginant périssable et surtout trop commun. Nous n'écoutions que du classique, ces derniers temps surtout l'opéra italien et Malher, laissant les variétés à l'inessentiel, et voilà que cet univers dédaigné par préjugé se dressait comme le seul qui vaille. J'avais beau afficher une aisance désinvolte, tricoter des accords complexes entre genoux et mollets, j'étais gêné

Je me sentais examiné, inspecté, jugé des pieds à la tête. Pour accroître la difficulté, Rebecca eut, en me voyant, un éclat de rire dont la spontanéité m'exaspéra.

— Tu me désopiles la rate avec ta manière de danser. Tu te dandines comme Balou dans *le Livre de la jungle* de Walt Disney.

J'affichais un dédain flegmatique, mais le désappointement devait se lire à l'évidence sur mes traits. Mes jambes se paralysaient tandis que Rebecca exécutait de lestes demi-tours sur soi puis réapparaissait, affichant aux yeux de tous qu'elle était avec moi sans l'être, partenaire de hasard et non de convenance.

— Regarde, même Franz se divertit de nous voir danser.

Je me tournai et, par une trouée dans la foule, aperçus l'invalide qui nous adressait de grands signes, la trogne allumée, en se tapant sur le ventre et me montrant du doigt à Marcello et Tiwari réunis autour de lui. Ces gestes de connivence me hérissèrent. D'un simple coup d'œil, l'infirme pouvait embrasser toute la piste et, malgré le rempart de corps mouvants, j'étais à sa merci. Pétrifié par ces yeux connus qui me détaillaient, je proposai à Rebecca de lui chercher une boisson. Franz, qui ne perdait rien de mes mouvements, m'arraisonna au bar où il me versa lui-même une grande rasade de gin. Je le sentais rechargé comme un fusil, prêt à l'invective, au sarcasme.

— Didier, vous avez le rythme dans les prothèses.

— Je n'ai jamais prétendu savoir danser.

— En tous les cas, cela n'enlève rien de vos chances auprès de Rebecca.

L'injure m'avait piqué au vif :

— Pauvre Franz, sans calomnies, vous ne soutenez pas facilement une conversation.

Et sans prendre le verre qu'il me tendait je le plantai là, replongeant dans la mêlée. L'orchestre débutait une série de slows. Les couples s'approchaient et s'éloignaient. Quelques-uns évoluaient en flirtant, j'entendais le froissement de leurs mains, leurs rires étouffés. Sans hésiter, j'invitai Rebecca qui accepta ; elle se serra contre moi, entourant mes épaules de ses deux bras, écharpe de chair brûlante et palpitante autour de ma nuque. Elle me regardait si gentiment que j'étais convaincu de récolter bientôt les fruits de ma patience. Sa poitrine ferme était délicieusement posée sur mon buste, ses cheveux effleuraient mes joues, elle frottait doucement son ventre contre moi avec un sourire d'une trouble sensualité. Elle ne se souciait plus d'être vue en état de tendre abandon, cet enlacement officialisait notre couple. Je me blottis contre elle, haletant et grisé, respirant avec recueillement son haleine. Tout m'était grâce, délice, surprise venant de cette fille admirable : même la sueur qui perlait sur sa nuque était parfumée. Je ne voyais personne, n'entendais rien sinon les battements de mon cœur faisant écho au tambour amplifié de la basse et au martèlement de centaines de pieds sur le sol. Elle me serrait fort et fredonnait à voix basse l'air de la chanson, qu'évidemment j'ignorais. Sous mes mains, son dos s'étendait dans sa nudité musclée, et je poussai l'audace jusqu'à y promener mes doigts. Si elle consent à cette familiarité, elle cédera pour tout, me disais-je. Elle accepta. Avec la fluidité d'une eau, elle se laissait aller, établissant le contact avec tout son corps. Mon pouce éraflait le bord de son omoplate, et je pesais de l'autre main sur sa taille fine, flexible qui cédait sans résister. Ma paume humide se rapprochait de la naissance de sa croupe magnifique. A quelques millimètres de mes doigts s'étalait le majestueux pivot du monde. La vérité résidait là, sur ce trône éminent et non dans les cités populeuses de l'Orient ou de la Chine.

Comme j'étais bassement charmé alors, prêt à tout pour quémander une pitance que mon imagination enflammée dépeignait comme un festin. Tout ce dont

m'avait parlé Franz me revenait à la manière d'un vertige, d'une tentation délicieuse. J'imaginais déjà sa peau
lisse et grenue, son ventre qui tombait à l'abrupt découvrant la tendre blessure, l'étreinte liquide et sauvage, une
étroitesse trompeuse débouchant sur une ampleur où il
serait amer et déchirant de m'épandre. Je lui murmurais
des fadaises dans l'oreille, elle riait en renversant la tête,
peut-être l'alcool l'avait-il grisée et lui rendait piquantes
des phrases qui ne l'étaient pas ? Je l'embrassai dans le
cou et sur les épaules ; ce baiser me faucha les jambes,
dans tout mon corps se transmettait la nouvelle de nerf
en nerf ; alors perdant toute notion de décence et retrouvant une pratique de mes années d'adolescence, je glissai ma joue lentement contre la sienne et par une légère
inclination tentai de saisir sa bouche. Elle sursauta :

— Quelles sont ces bizarres libertés ?

Ses yeux me pénétraient comme une lame d'acier sans
que j'y trouve une lueur de tendresse ou d'indulgence.

— Tu n'as pas honte devant mon mari ?

Glacé par ces mots, je bafouillais :

— Mais... Mais Franz ne compte pas.

Elle eut un sourire méprisant qui me fit sentir le peu de
cas qu'elle faisait de mes prétentions.

— Tu nous prends pour qui ? Nous sommes mariés,
figure-toi, nous ne vivons pas en concubinage, nous !

Elle desserra son étreinte et laissa pendre sa main sur
ses jambes, geste d'ennui suprême. J'étais outré par son
hypocrisie et me morfondais de ne rien trouver à lui dire
d'original.

— Quelle idiote, cette Béatrice..., souffla-t-elle.

Cette phrase fut une perche qu'elle me tendait pour me
racheter. J'étais si heureux d'avoir un sujet dont parler
que je m'engouffrai dans la calomnie. Et quoiqu'il m'en
coûtât de dénigrer ma compagne, je m'y prêtai lâche-
ment, ne lui épargnant aucune épithète péjorative.

— Tu ne m'as pas bien compris, rectifia ma partenaire.

Je voulais dire : quelle idiote, cette Béatrice, de t'aimer, de te supporter !

Un frisson me crispa, il était trop tard pour réparer mon erreur, et je ricanai :

— Ce n'est pas ma faute si elle a le mal de mer.

— Alors qu'elle gémit sur son lit en pensant à toi, tu ne trouves rien de mieux que de la démolir.

Des répliques, souvenirs de lectures, me venaient aux lèvres sans que je les trouve appropriées, et j'étais incapable d'en inventer moi-même. En proie à une nervosité mystérieuse, je lâchai en dernier recours :

— Arrête, Rebecca, je t'aime.

— Je vois avec plaisir que tu as le sens de l'humour ; tu essaies vraiment n'importe quoi. Tu devrais savoir qu'il y a longtemps qu'on ne drague plus en disant : je t'aime. Trouve autre chose.

— C'est la vérité pourtant.

— Mais non, pour toi, je ne suis qu'une fantaisie au cours d'une traversée ennuyeuse.

Chacun connaît la sensation désagréable qui nous traverse dès qu'un être cher nous accuse de cela même dont il va nous frapper, devance notre reproche en le retournant contre nous. Je savais qu'elle mentait, et cette ruse me semblait indigne de nous. J'étais écœuré du ton froid, emprunté de ses phrases et le lui dis :

— Arrête de te projeter sur moi...

— Mon Dieu, quel crampon... Excuse-moi, je suis enceinte, je dois m'asseoir.

— Enceinte ? Depuis combien de temps ?

— Une demi-heure, voyons, depuis que tu m'as embrassée dans le couloir.

Elle quitta la piste de danse d'un air excédé : elle avait fermé net le robinet du charme. Je la suivais, caniche grondé, tête basse, n'osant croire à ma disgrâce si rapide. Comme pour accroître la malchance, elle s'assit près de Franz. L'infirme était ivre, vautré plutôt qu'assis dans sa

216

chaise, promenant son mufle alcoolisé de droite et de gauche, balançant une bouteille de scotch au bout de son bras, épanchant son exaltation en propos orduriers, ses mèches sales collées sur le front par la sueur.

— Tiens, voilà notre irrésistible tombeur ! Alors, ça marche ?

Je ne voulais pas lui répondre et, pour comble d'humiliation, voyais Rebecca pouffer aux vacheries de son mari. J'étais plein de cette tristesse lourde qui accompagne la perte d'un bien qu'on a cru saisir et qui vous a échappé. Rien n'avive le chagrin comme une sympathie truquée. En quelques minutes, Rebecca avait balayé des jours de patiente attente, d'espoirs fous.

— Cesse de me regarder ainsi, me dit ma tortureuse, tu vas me gober avec tes yeux ronds.

— Je t'ai déçue, n'est-ce pas ?

— Mais non, j'aime les hommes qui échouent, cela les rapproche de moi.

Alors jouant mon va-tout, et jugeant les mots moins préjudiciables que le mutisme, je lui débitai, dans un sabir haché, un confus discours sur l'Inde et ses magiciens, résumé d'un article lu deux jours auparavant, parlant à voix basse pour que Franz ne m'entende pas. Elle m'écoutait sans rien dire, le regard fixé sur sa cendre de cigarette qui grandissait entre ses doigts, mordant ses lèvres en dedans pour ne pas bâiller. Ces nouvelles preuves que je recevais de son indifférence achevaient de me percer le cœur. Les prétendants de tout à l'heure, constatant ma défaite avec ironie, se rapprochaient à nouveau, gros bourdons bruissant de vanité. Comme si un malheur en attirait un autre, Marcello prit place près de nous. Brusquement intimidé, je me tus. Grave erreur : nous voyant silencieux, il invita aussitôt Rebecca à danser.

N'importe qui éprouverait dans ces circonstances ce que je ressentis alors : une impression de solitude subite.

La serie des jerks disco avait repris. J'étais estomaqué
d'autant que ce gourou napolitain, que je croyais dévoué
aux seules postures du yoga, dansait avec une habileté
diabolique. Depuis le début de la soirée, je craignais
qu'un accident ne vienne me ravir ma promise et il venait
d'arriver. Une envie amère me tombait sur les épaules
goutte à goutte et gâtait toutes mes joies. Je sentis par
mon infortune quel devait être le bonheur de ce rival
qui paraissait le contraire de ce que j'étais, c'est-à-dire
sûr de lui, rieur, élancé. Rebecca lui jetait des regards
prometteurs qui me nouaient : une complicité naissait
entre eux qui n'était pas née entre elle et moi. Le peu d'attention qu'elle me portait me confirma dans mes
craintes. Ils se penchaient l'un sur l'autre à se toucher,
puis se retournaient, tamponnaient leur derrière et j'attendais l'instant où ils allaient s'embrasser. Évidemment, je n'avais pas montré autant d'originalité dans mes
contorsions ; s'il fallait se livrer à de telles vulgarités
pour plaire, je préférais m'abstenir. La danse est un
espace sans lois mais où la police est assurée par le
regard de chacun sur tous. La moindre raideur y constitue un péché de l'œil, faute impardonnable dans un art
tout entier voué à la surface et à la vue. Un spectacle
aussi cruel acheva de ruiner mes espérances et je tirais
nerveusement sur une cigarette. Je n'aurais jamais pensé
que ce ogi en toc pût constituer pour moi un concurrent
sérieux. Pourquoi arrivait-il en surplus dans un jeu déjà
compliqué ?

— Il va vous la faucher sous le nez, glapit l'infirme
dans un renvoi soufflé en plein visage.

Il était déjà sérieusement éméché.

— Cette enjôleuse vous a complètement subjugué. Je
vous avais prévenu. Ne faites pas ces yeux de merlan
frit ; vous lui attribuez des qualités poétiques extravagantes alors que son seul plaisir est de faire tourner les
hommes en bourrique ; n'oubliez jamais qu'elle est restée

la femme humiliée, vertigineusement secrète des années malheureuses, c'est une enquiquineuse, rien d'autre.

Il eut un sourire particulièrement vénéneux ; comme s'il se réjouissait de constater l'éternelle et profonde infamie des êtres.

— Laissez-moi, demandai-je.

— A mon avis, il est inutile de vous obstiner, vous êtes du menu fretin pour elle.

Je ravalai un juron : il avait dépassé les bornes admises. Tout en moi était sens dessus dessous, je perdis contenance et lui grognai dans le nez :

— Si vous n'étiez pas handicapé, je vous enverrais mon poing dans la figure.

— Pas d'injures grossières, gardez votre sang-froid.

Je me levai. Mes jambes me portaient à peine, elles étaient remplies de caoutchouc mou, et je dus après quelques pas me tenir au dossier d'une chaise pour ne pas tomber. J'errais dans la salle en quête d'un verre plein de n'importe quoi pourvu que cela brûle et étourdisse. Toutes les bouteilles étant vides — les gens se saoulaient à mort pour fêter la dernière nuit de l'année —, je descendis au second bar qu'on avait dressé au bas des escaliers. J'avalai, rasade après rasade, deux gins purs, un brandy et un fond de cognac. Sottement, je méditais une vengeance que j'aurais voulu noyer sous un raz de marée d'alcool. Je poussai une porte et soudain éclata la grondante respiration de la mer.

Une pluie en biais épaisse comme un rideau me cingla au visage. Je fis quelques pas sur le pont fouetté par la tempête, fumant et rêvant, perdu dans une vague fureur humiliée. Des lambeaux de rock m'arrivaient portés par le vent. Le temps était affreux, et je fus trempé des pieds à la tête en quelques secondes. Mon frisson s'accentua quand je me vis seul sur cette coquille de noix qui s'enfonçait dans l'affreuse nuit de décembre, dans cette cuvette noire flagellée de vents polaires. Il semblait y avoir des trous dans la mer : le bateau chutait dans un puits sans fond, se redressait presque à la verticale, doigt tendu vers le ciel, ensuite repiquait du nez. Dans mon malheur, je repensais à Béatrice, lui trouvant à nouveau de l'agrément : elle était loin d'être parfaite mais au moins elle m'aimait. Mieux vaut tenir que courir. Je dus rentrer, il eût été dangereux de rester trop longtemps sur ce pont glissant.

Encore vacillant, je restai un moment sur le seuil du grand salon qui montait et descendait au rythme de la houle, ne distinguant d'abord que des silhouettes, des ballons d'enfants et des serpentins dans une lumière bleue tamisée. La moitié des plafonniers était éteinte, l'air que coagulaient la fumée et l'odeur des corps devenait de plus en plus épais à respirer. Certains couples s'embrassaient à pleine bouche, d'autres se caressaient ostensiblement alors qu'une tourmente menaçait. A mon soulagement, Marcello avait abandonné Rebecca qui dansait seule. Je me remis à prendre espoir et, par là même, oubliais une nouvelle fois ma compagne légitime, Béatrice. Jamais Rebecca n'avait évolué avec une telle prestance. Son visage énigmatique dominait tous les autres. Je ne voyais que cet astre et ne cherchais pas à cacher l'émotion qui me bouleversait à sa vue. Elle évoluait pantelante, la tête renversée, les yeux mi-clos, en proie aux extases d'une sainte stigmatisée. Une vingtaine d'hommes et de femmes la fixaient comme moi, pareils à des enfants autour d'un arbre de Noël. Elle recueillait sur elle tous les rêves épars qui flottaient entre ces murs d'acier. Elle avait trouvé un legato intérieur qui exprimait parfaitement la musique brutale, énergique de l'orchestre ; dressée sur les pointes, ou brisée, elle jouait de son corps comme d'un instrument qui épousait les autres. Elle habitait la violence électrique, lui frayait une voie royale en d'audacieuses pantomimes. Son corps, tiré vers le haut, tendu par le désir de percer, évoquait la sou-

plesse d'un clown crevant la toile de tente. Surpris, eni-
vré, charmé, lui ayant déjà pardonné ses coquetteries
avec Marcello, je me laissais aller à ce ravissant spectacle. Les tremblements de sa poitrine, l'extase de son
bassin me suffoquaient. Je n'étais plus qu'un petit mâle
apeuré devant cette belle panthère sanguinaire et futile, un
gamin extasié par une étoile ; et je la contemplais bouche
bée quand une main me tapa sur l'épaule.

C'était Béatrice, une Béatrice très en beauté, au
maquillage discret, moulée dans un adorable jean. Je fus
médusé comme à la vue d'un spectre : le navire se fût
ouvert en deux que je n'aurais pas été plus effaré. Elle
avait des yeux malveillants, irascibles. Je rentrai la
nuque dans les épaules et courbai la tête.

— Surpris de me voir ? Eh oui, les médicaments du
docteur ont fait leur effet. J'ai rendu toute mon âme et je
me sens tout à fait d'aplomb. Allons, mon chéri, ne dissi-
mule pas ta joie ; c'est ton cher ami Franz qui m'a fait
réveiller par un steward, j'ai le sentiment que mon intru-
sion va donner du sel à cette soirée.

— Franz ! Mais pourquoi Franz t'a-t-il réveillée ?

— Il m'a prévenue que tu t'ennuyais sans moi et que tu
courtisais sa femme pour tromper ton ennui. Il m'a fait
aussi écouter la fin de votre conversation de cet après-
midi dans sa cabine qu'il avait enregistrée sur cassette à
ton insu. Très instructif !

J'émis un balbutiement pâteux et je demeurai interdit, essoufflé comme si j'avais reçu un coup dans le
diaphragme.

— C'est un beau salaud, cet infirme, mais au moins il
m'a ouvert les yeux.

— Écoute, je me suis conduit comme...

— La voilà donc ta merveilleuse, ta mignonne, ton
phare, ta princesse, pour qui tu étais prêt à me jeter à la
poubelle. Dis-moi, ça n'a pas l'air de très bien marcher ?

— Béatrice, je t'aime...

— Tu oses me dire ça! Tiens, voilà pour ton mensonge.

Et elle me lança à toute volée une gifle par la figure.

J'étais sonné, encore tout étourdi. La mer soulevée s'accordait à la colère de ma maîtresse et sans qu'elle en eût même conscience l'amplifiait.

— Didier, je vais être franche avec toi; tu m'as déçue, il est des circonstances qui trahissent mieux un être que deux années de vie commune. A force de te voir désirer Rebecca tu me l'as rendue désirable; mais je me demande si nous avons les mêmes chances auprès d'elle.

A ses poings fermés, à sa démarche solennelle, je la sentis décidée à une entreprise insolite. Me plantant là, plus mort que vif, elle fendit le mur de curieux qui faisaient cercle autour de l'épouse de Franz, et commença à danser face à elle. Rebecca la reçut avec un grand sourire Il se fit en moi un grand vide, comme le pressentiment de l'irrémédiable. Les deux rivales s'étaient muées en complices. Je ne reconnaissais plus ma compagne: la femme effacée avait fait place à une aventurière hardie. Cette blonde et cette brune c'était la morale lumineuse du jour épousant la mystique de la nuit, le Nord et le Sud se réconciliant contre moi, qui avais tenté de les diviser.

Leur beauté différente s'accentuait de ce vis-à-vis et faisait d'elles le plus beau couple de la soirée. Cette fois, tout était perdu. A les voir se trémousser en cadence, les spectateurs prenaient feu. Les musiciens de l'orchestre les sifflèrent et toute la salle croula sous les applaudissements. Les deux amies s'ouvraient sous les bravos comme des fleurs au soleil, charmées d'ensorceler, plus charmantes encore dans leur volonté de se plaire réciproquement. Chacun de leur pas levait des acclamations, leur réconciliation se confortait de ce bain de foule enthousiaste. Mais où Béatrice avait-elle appris à danser? Dans les rares fêtes où nous étions invités, elle se livrait à des évolutions d'une modestie qui frisait la maladresse.

Cette horrible gaieté me glaça le cœur : titubant de vertige, je cherchai un siège et m'écroulai dans un sofa. J'avais envie de m'élancer dans leur cercle, de les séparer, de les souffleter, mais la honte me retint. Il arrive un moment où les événements venus des divers points de l'horizon convergent et embouteillent les issues. Il me semblait tout à coup que les gens chuchotaient dans mon dos, se parlaient à voix basse en me regardant. Je bus deux ou trois verres de n'importe quoi sans réaliser que j'atterrissais près de Franz une nouvelle fois.

— Mais vous tremblez ? Vous avez peur de Béatrice ? Moi, je les trouve formidables, on devrait toujours faire confiance aux femmes.

— Pourquoi... Pourquoi avoir joué les entremetteurs si c'était pour me poignarder dans le dos ?

— Mais, mon ami, votre empressement autour de ma femme manquait de noblesse, c'était même assez vilain. J'ai beau être moderne, je ne verse pas dans la complaisance.

Je faillis tomber en larmes. J'étais si anéanti que je n'avais plus la force d'en vouloir à Franz bien qu'il eût fomenté en partie cet odieux complot. Je ne pouvais guère l'aimer et encore moins l'admirer. J'aurais presque souhaité à cet instant l'appeler à mon aide, mais il avait son mauvais sourire qui n'augurait rien de bon.

— Tous nos couples sont fragiles, Didier, et peuvent se casser facilement en se heurtant les uns aux autres. Ne boudez pas, quittez vos préjugés. Puisque nos épouses ont l'air de si bien s'entendre, faisons-leur fête. Ne sommes-nous pas maintenant une famille de frères Faites comme moi : je m'attache aux amants de ma femme et en fais mes amis intimes. Je trouve à m'égayer où d'autres s'arrachent des poignées de cheveux. Ne nous chamaillons pas, Didier, trinquons en bons républicains entre qui tout est commun.

Tandis que l'infirme levait à ses lèvres un verre tremblant, la tempête redoubla d'intensité. Soudain, le *Truva* se coucha sur tribord avec une pente de plus de trente degrés, une glace se trouva mise en miettes et des éclats de verre furent projetés jusqu'au milieu de la pièce. Sous l'assaut des lames, le bateau gémissait comme un colosse épuisé de fatigue, et toutes les boiseries grincèrent avec des craquements sinistres. Des vagues énormes bombardaient la coque, explosaient en gerbes d'écume laiteuse sur les baies de la salle à manger pour retomber en pluie de bulles opalescentes. Il se fit un charivari épouvantable : le paquebot dévalait des pentes vertigineuses pour se hisser l'instant d'après sur des crêtes écumantes. On eût dit que la Méditerranée, gagnée par la musique, dansait le rock à son tour.

Emporté par le tangage, l'orchestre s'écroula, la pile des tambours et des amplis se renversa sur la piste et roula jusque dans les jambes de l'assistance. La salle s'était transformée en poêle à frire où nous rebondissions comme des crêpes. Cramponnés aux colonnes, aux bras des fauteuils scellés, les passagers avaient cessé de danser et enduraient les intempéries. Le salon se cabrait, bondissait, entraînant la débâcle des estomacs. Les toilettes devinrent soudain le destin et la destination d'une majorité d'êtres humains. Barmen et stewards s'empressaient de distribuer les pochettes en papier kraft en guise de pousse-café. Et les têtes blêmes plongeaient dans les bonnets de papier, les dos hoquetaient, rendant l'insupportable trop-plein. Seules Rebecca et Béatrice, calmes au milieu de la panique, continuaient à s'agiter sur des rythmes imaginaires ; les flots démontés donnaient à leurs mouvements une extraordinaire résonance. Elles s'enroulaient l'une à l'autre, avec des torsions indécentes, dressées, au-dessus des éléments furieux, comme deux allégories du désordre.

La bourrasque m'avait momentanément diverti de mon chagrin, mais dès qu'une organisation calme et efficace eût rétabli l'ordre à bord, deux marins notamment retenaient la chaise de Franz, je ressombrais dans la mélancolie. Comme ce navire, j'avais moi aussi mis le cap sur le fond du gouffre. Mes sentiments s'étaient retournés aussi vite que la situation. J'avais déjà oublié Rebecca, et Béatrice me redevint désirable comme on reprend le fil d'un roman interrompu. Dans la confusion, on avait oublié de se souhaiter la bonne année. Un steward vint rappeler les voyageurs survivants à leurs devoirs, et chacun se congratula, s'étreignit. Tiwari et Marcello me présentèrent leurs vœux avec ce rien de condescendance qu'on observe à l'égard des perdants : le pire n'est pas l'échec mais les témoins qui l'entérinent. Béatrice et Rebecca s'embrassèrent sur la bouche pour la première fois. Elles riaient, semblaient se dire mille choses fines et galantes. Puis elles s'amusèrent à me souffler de loin des baisers sur le dos de leur main ; jamais elles ne m'avaient paru si belles, si gaies.

— Tu en fais une tête, dit Béatrice avec une voix que je ne lui connaissais pas. Tu ne nous souhaites pas une bonne année 80 ?

J'étais là glacé jusqu'aux os, la gorge serrée comme par un nœud coulant, ne parvenant même pas à déglutir pour ouvrir la bouche.

— On l'invite avec nous ? demanda Rebecca.

— M'aurait-il invitée si tu l'avais accepté ?

— Je ne crois pas.

— Alors laissons ce mufle tout seul. C'est une arme classique mais éprouvée.

Des syllabes s'échappaient de ma bouche comme les gargouillements d'une baignoire qui se vide.

— Qu'est-ce que tu dis ? Articule, je ne saisis pas bien...

Elles avaient l'intelligence de deux jumelles qui s'amusent d'un trouble-fête. Elles tenaient conseil intime en chuchotant, et mon oreille la plus fine cherchait en vain à cueillir au vol leurs secrets ; ensuite, elles rirent toutes deux à une cadence de plus en plus vive.

— Désolé, Didier, on affiche complet.

— Comprends-moi, reprit Béatrice en baissant la voix, tu as sapé toute la confiance que j'avais déposée en toi. Seul est ignoble l'acte qu'on arrête en chemin : je t'aurais pardonné une aventure avec Rebecca. Je ne te pardonne pas d'avoir raté même cela. Bonne année quand même, Don Juan, mets-toi vite en chasse, sinon tu vas passer la nuit tout seul.

Elles m'embrassèrent chacune sur une joue puis s'éloignèrent, leurs visages tournés l'un vers l'autre, se serrant flanc contre flanc comme si elles n'avaient voulu faire qu'un seul corps à elles deux.

— Ah ! les petites vipères, dit Franz qui avait tout entendu. Ça, Didier, c'est de la sororité ou je ne m'y connais pas. Allons, acceptez avec grâce de n'être qu'un pis-aller. Après avoir voulu jouer les Casanova, ne vous remettez pas dans la peau d'un cerbère.

J'étais anéanti : cette contrariété, tombant sur mon ivresse, avait le poids d'un désastre. Les derniers mots de Béatrice avaient exaspéré mon sentiment de faiblesse. Je ne voyais autour de moi qu'adversaires et agresseurs, et dans mon oreille l'hideux, l'indécollable sans-pattes poursuivait son monologue crapoteux, clapotant et putride.

— Vous croyez qu'elles vont se...

Il eut un geste obscène avec la langue.

— Votre copine est gourmande, la mienne est ardente, elles ne vous laisseront rien.

Cette odieuse remarque me révolta. Gagné par un accès d'aversion grandiloquente, je lui criai :

— Je vous hais, je vous hais.

— Tant mieux : je suis lâche, je suis laid, je suis infâme : ce sont pour moi des raisons supplémentaires, délicieuses d'être odieux. Je veux mériter le mépris qu'on

226

me porte. Je vous le dis, ajouta-t-il dans un grand éclat de rire, avec un ami tel que moi, vous n'avez pas besoin d'ennemis.

Répondre à ces insultes était au-dessus de mes forces ; immergé dans ma tristesse, je ne suivais les événements du salon que d'un œil. On venait de déboucher du champagne. Une gaieté de catastrophe éclata parmi la trentaine de passagers valides qui restaient debout. Il s'était établi entre eux comme une fraternité d'endurance qui les inclinait mutuellement à la sympathie. La folie avait gagné ces ultimes fêtards ; Béatrice et Rebecca tenaient la vedette dans cette huée de cris et de sifflets. Alors, le clou de la soirée arriva. La jeune épouse de Franz, qui venait de vider une coupe, la manipula distraitement et soudain l'expédia derrière elle, à la cosaque, jusqu'à ce qu'elle se brise avec un tintement clair. Une exclamation fusa à la suite de ce geste, suivie d'un brouhaha de voix, puis vint une pause que suivit un nouveau brouhaha.

Béatrice à son tour avait jeté sa coupe par-dessus l'épaule, brillante absurdité qui fit rire tous les convives. « Essayez aussi », disait Rebecca en anglais à ceux qui l'entouraient. Une dizaine de verres furent expédiés en gracieuses hyperboles soit à terre soit contre les murs dans une joie irrépressible. Puis Rebecca courut se saisir d'autres verres sur le buffet, les vida en éclaboussant ses voisins et les lança au plafond. Une forte cascade de pluie de tessons tomba du ciel, et les éclats de rire des joueurs déboutonnés, hagards, répondaient aux détonations du cristal en miettes. Ce dernier carré de fêtards était imbibé d'alcool, et aucun amusement ne leur semblait assez délirant. Les stewards essayaient bien de s'interposer, mais rien n'arrêtait la délicieuse folie déclenchée par les deux jeunes femmes. Leur effronterie n'avait plus de limites. Il n'y eut pas une coupe, coupelle, verre à pied, flûte, vase, carafe, bol, rince-doigts qui fût épargné par ce massacre, les projectiles s'entrecroisaient dans un furieux tintamarre, le bruit du verre cassé couvrait presque le fracas des paquets de mer qui se ruaient sur les panneaux du salon.

Ces tintements qui ravissaient les autres avaient pour moi des saveurs de glas. Puis ce fut au tour des assiettes en carton, des débris de nourriture de servir de bombes, de balles et de flèches. Le jeu tournait à la bataille de réfectoire. La pièce fut bientôt quadrillée d'un réseau de bouts de pâté, de morceaux d'os de poulets, de lambeaux de fromage, de feuilles de vigne farcies, de queues de céleri, de concombres à la crème, de tomates mûres qui allaient s'écraser contre leurs cibles en y laissant de longues éclaboussures dégoulinantes. Les épaves s'entassaient au sol, sur le visage des personnes touchées, ruisselantes de jus, de vin ou de sauce.

Réfugié à l'autre bout de la salle, ne prenant aucune part à ce chahut, je le contemplais de loin, amoureux et mendiant, infime et dédaigné, humant les relents d'une gaieté puissante dont je n'étais pas, vilain petit canard chassé de la volière, seul dans mon coin de désastre.

— Venez, me hurlait Franz de loin, on s'éclate.

Ces agapes d'ivrognes me rebutaient, et je m'enfuis au beau milieu de ces tirs d'artillerie, emportant une image confuse de faisceaux de fumée, de faciès écarlates, de hennissements rigolards. Comment Béatrice avait-elle pu se laisser entraîner dans cette grossièreté ?

Une dernière fois, je regardai la salle à manger pour m'en fixer à jamais dans la mémoire l'horrible géographie : Béatrice et Rebecca, les cheveux trempés, se tenaient par le cou, tordues de rire en tapant sur le ventre d'un groupe de stewards titubants. Me voyant partir, Franz, qu'environnait un quarteron de harpies germaniques, beugla à mon adresse :

— Attention à vos cornes en sortant, la porte est basse.

L'instant d'après, dans la coursive, je fus saisi d'une épouvantable migraine : ma tête me faisait l'effet d'un fardeau où toutes les veines de mon corps se durcissaient en un seul caillot de sang plus lourd qu'un roc. Je m'effondrais, les nerfs rompus comme après quelque grande colère. Tout, à cet instant, me parut ignoble, abrutissant, gris. La déception était trop forte et je ne me pardonnais pas d'additionner les ridicules, d'être puni pour une faute vénielle que je n'avais même pas été capable de commettre. J'essayais vainement de me distraire de ma névralgie et suivais d'une pensée vindicative les deux traîtresses qui là-haut préméditaient leur étreinte. Puérilement, j'espérais que le balancement du navire les empêcherait de s'enlacer et qu'un bagage tombant du filet les assommerait en plein accomplissement de leur péché.

Je me jetai sur ma couchette en pleurant, priant pour que le navire sombre dans la tornade et engloutisse avec lui tous les acteurs de cette sinistre farce. J'avais bu, et n'avais plus une notion nette des choses. Les heures se fondirent en un seul cauchemar. Je m'éveillais et me rendormais tour à tour. J'attendis Béatrice toute la nuit, sursautant aux moindres pas dans le couloir, sanglotant de plus belle après chaque fausse alerte.

Cinquième jour :

La cérémonie du thé.

Comment pouvais-je, après une telle soirée, me raser, m'habiller de frais, prendre un café ? Le jour glissait sur la nuit comme un chiffon mouillé sur un carreau sale, et un soleil de fin du monde tentait une timide sortie, éclairant un spectacle de désolation. Tout sommeillait encore, hormis le ronronnement des moteurs et les brusques coups de vent qui faisaient trembler la carcasse du paquebot. J'écoutais les imprécations de la mer frappant contre la coque, et alimentais mon trouble de ce fracas qui hurlait avec moi. Il ne restait maintenant qu'un vaste ennui d'eau jusqu'à Istanbul où nous devions arriver en début d'après-midi, cinq heures à rester enfermés dans ce corbillard flottant. Je me sentais lugubre : Béatrice n'était toujours pas revenue.

Il fallait à tout prix que je lui parle. Ma compagne, à qui me liait le souvenir de tant d'heureux moments, représentait pour moi à cet instant la plus désirable des femmes : je maudissais Rebecca, cruelle intrigante qui nous avait désunis. Un être apparu à la croisée des chemins vous semble le paradis. Le tort est de vouloir fixer ce visage entrevu. Comment avais-je envisagé de remettre tout en cause pour quelques privautés avec cette inconnue ? Je me réveillais comme dégrisé d'une mauvaise ivresse. Il avait bien fallu ce lieu fermé pour que remonte cette lie de passion impure tel un repas trop riche ; ce bateau m'avait fait boiter de l'âme.

Penser que toute mon infortune relevait de quelque sagesse triviale du style « qui trop embrasse mal étreint » m'horripilait. Je n'avais pas le courage d'attendre son retour : je devais la voir tout de suite, lui parler, implorer son pardon. Je sortis, remontai les escaliers, arpentai ponts et passerelles, m'engloutis dans la salle des machines, passai et repassai devant la petite troupe des stewards mal réveillés : nulle trace de Béatrice. J'abhorrai cette cage flottante qui nous emprisonnait, je maudissais la mer énigmatique qui ne va nulle part, indique mille directions qu'elle soutient et trahit également. Plusieurs fois, je retournai à notre cabine. Chaque fois j'y laissais des mots indiquant ma position, l'heure de mon retour. En vain.

Alors je résolus d'en avoir le cœur net. Une force dont je n'étais pas le maître me poussait à retourner à l'étage maudit. Je grimpai à toute allure vers les premières classes. M'approchant sans bruit de la porte de Rebecca, j'y collai l'oreille. J'étais là, assourdi par les pulsations de mon propre cœur, quand la porte s'ouvrit.

— Entrez, dit Franz, je vous attendais.

J'eus un haut-le-corps.

— Vous, ici ? Mais alors je me suis trompé de cabine ?

— Pas du tout. Je veille sur le sommeil de ma femme.

D'abord je songeai à fuir. L'infirme était la dernière personne que j'avais envie de voir. Et il devait savoir, lui. J'entrai donc, plein de colère, incapable d'émettre un son. Rebecca dormait dans le lit.

— Vous pouvez parler à voix haute. Elle a pris un somnifère.

— Où est Béatrice ?

— Quelque part sur ce bateau mais je l'ignore ; je vous le promets.

Son air exagérément candide le rendait peu crédible. J'eus vite fait de repérer dans ses manières trop aimables quelque chose de particulier.

— Finalement, Didier, je suis le seul à garder de bons rapports avec les trois autres. Vous êtes triste?

Quoi qu'il m'en coûtât, j'estimais plus honnête d'avouer mon dépit. Après tout, me disais-je, il n'est qu'un bouffon et sa méchanceté est surtout de la bêtise : il n'est même pas digne que je lui en tienne rancune.

— Je veux vous aider à reconquérir Béatrice. Non par amitié, car vous n'avez pas permis que se développe entre nous un sentiment amical, mais par solidarité. Vous êtes comme moi de la race des souffre-douleur et j'aime les perdants : il leur reste toujours l'issue de gagner au moins une fois.

— Je ne viens pas quémander de l'aide : juste un renseignement.

— Sans doute, mais je n'ai pas le cœur de vous abandonner dans cette situation. Êtes-vous sûr d'abord que ma femme ne vous plaise plus?

Sa bonhomie ne me trompait pas.

— Franz, ne recommencez pas : je cherche uniquement Béatrice.

— Béatrice reviendra à vous si elle en a envie. Nous en reparlerons plus tard. Regardez plutôt.

Il écarta le rideau du hublot, défit les draps du lit qu'il rabattit jusqu'au couvre-pied. Rebecca, nue, dormait sur le côté, une jambe repliée sur l'autre. Je sentis soudain mon pouls battre avec violence.

— Pourquoi faites-vous cela?

— Pour vous, Didier, je réalise vos rêves.

Je ne comprenais pas. Une bouffissure malsaine déformait sa lèvre supérieure. Il repoussa Rebecca de l'épaule et l'étendit sur le dos.

— Elle est belle, vous ne trouvez pas? Quel plaisir de penser que ce corps de femme, cette peau satinée se prête à tous les mouvements qu'il me plaît de lui imprimer. Elle est à vous si vous la désirez.

— Vous plaisantez?

— Pas du tout, je suis sérieux : admirez ces larges épaules, ces seins charnus, chauffez-vous à la jeunesse de ce beau visage que vous ne reverrez peut-être plus, caressez ce ventre, n'ayez aucune crainte, elle est droguée, embrassez-le, accrochez votre langue à ces ronces.

Je restais raide comme un piquet, certain que Rebecca feignait le sommeil. Et s'il s'agissait d'un nouveau piège monté par ce couple qui entretenait une même prédilection pour le sordide ?

— Arrêtez de vanter la marchandise : je trouve cette complaisance dégoûtante.

— Vous êtes borné, Didier. Vous ne voyez pas que je suis heureux que nous partagions une même vénération pour elle ?

— Il n'est plus temps de parler de cela : je veux récupérer Béatrice, un point c'est tout. Où est-elle ?

— Si j'avais eu toutes mes facultés, Didier, je vous aurais proposé de faire avec moi ce que ces deux garces...

— Votre humour noir n'est pas du meilleur goût.

— Venez lui faire l'amour, je vous prie, je vous regarderai de loin si ma présence vous gêne, dédommagez-vous.

Tout cela dit sur le ton le plus badin de l'enfant qui réclame un bonbon.

— Vous êtes vraiment fou ?

— Pas le moins du monde. Par la même occasion, branchez la bouilloire, nous allons faire du thé.

— Écoutez, Franz, vous ne croyez pas que vous en avez assez fait après tout ce qui s'est passé hier soir ? Alors dites-moi où se trouve Béatrice ou je sors.

— Béatrice dort dans ma cabine ce qui explique que Rebecca dorme ici : les lits étaient trop petits pour deux et, n'ayant pas sommeil, j'ai cédé le mien à votre amie. Inutile d'y aller, c'est moi qui ai la clef, je l'ai enfermée de l'extérieur.

236

— Donnez-la-moi.

— Une seconde, Didier, ayez un peu d'égards envers un malade. Buvons ce thé d'abord.

Il disposa les tasses sur un plateau. J'étais rassuré de savoir Béatrice non loin et branchai la prise. Puis l'infirme rajouta avec une particulière douceur:

— Réglons nos comptes, voulez-vous? Au début, nous n'avions envie que de vous taquiner. Vous formiez avec Béatrice un couple tellement uni, une association de deux naïfs qui vont chercher le grand frisson en Orient. Par votre gentillesse l'un pour l'autre, vous raviviez les prestiges d'un hymen impossible. Je ressentais à votre égard un mélange d'envie et de moquerie où la moquerie dominait. Nous vous avons testés: comme les trois quarts des couples, vous n'avez pas résisté. Je combats toujours pour la délivrance des êtres occupés par une relation trop forte, j'aime briser les idylles, démonter la comédie du grand amour. Et je suis venu m'installer dans la routine de votre existence comme une miette de pain coincée dans une gorge.

Je me sentais ridicule d'être assis devant lui, une nouvelle fois, inondé par le flux de ses paroles, telle une éponge sous un robinet.

— Vous n'avez rien brisé du tout!

— Vous teniez dans ma main, vous vous y trémoussiez comme un insecte. En vous attaquant sur l'Asie, je vous ai tout de suite irrité, j'ai dérangé les pauvres larves qui vous tenaient lieu de pensées. Car les idées n'ont jamais d'importance en elles-mêmes. N'importe qui est capable d'avoir des idées, seule compte la personne qui les sous-tend. En fait, j'avais deviné juste dès le premier coup d'œil; j'avais reniflé en vous ma mauvaise odeur. Vous appâter sur Rebecca n'a été ensuite qu'un jeu d'enfant, d'autant qu'au début elle vous a trouvé un certain charme.

Je simulais l'indifférence, mais chacun de ses mots

m'était des gifles qu'il m'assenait du plat de la main sur les deux joues.

— A quoi riment ces explications?

— Tout homme souhaite obscurément qu'un autre homme le délivre du souci de désirer et lui désigne, une fois pour toutes, l'objet désirable : je vous ai dit qui était belle et qui ne l'était pas. Je vous ai fait jouir par délégation avec le récit de mes jouissances, je vous ai horrifié par celui de mes perversions; là où j'étais passé, vous avez voulu passer à votre tour et éprouver en outre la gratification de me trahir. Il n'est pas jusqu'à votre rancune qui ne m'était hommage, vous étiez mon satellite, vous viviez sous ma gravitation. Je vous ai greffé un sentiment neuf, mon appétit a suscité le vôtre. Ma passion a mis les autres passions en mouvement, je l'ai fait résonner partout. Pourtant, à force de parler de femmes, ce sont elles qui nous ont doublés et ont eu le dernier mot.

« Voyez-vous, Didier, continua-t-il en éclairant son visage d'un grand sourire, par votre intermédiaire, j'ai revécu en accéléré toute mon histoire avec Rebecca; vous vous êtes brûlé à son contact comme je me suis consumé de tristesse pour elle. Mais vous n'avez pas été à la hauteur : votre désir était trop faible parce qu'il était copié sur le mien; vous avez revécu en comédie ce que j'avais connu en tragédie; vous vous êtes conduit en être simple pris dans une histoire compliquée. Et il y eut moins de fausseté dans mes procédés que de sottise dans les vôtres.

J'entendais maintenant l'eau chauffée par la résistance qui frémissait dans la bouilloire. Pourquoi étais-je revenu me salir en l'écoutant ?

— Vous n'avez pas beaucoup d'égards pour moi, constatai-je piteusement.

— Vous ne le méritez pas. Personne non plus n'a pitié de moi. Vous croyez que je me hais ? Vous vous trompez : je préfère haïr les gens qui m'entourent, cela me dispense de me détester moi-même. Je souhaite aux gens heureux tout le mal possible à cause du mal qu'ils me font par leur sale bonheur. Et puis, voyez-vous, l'habileté suprême du méchant, c'est de dévoiler son jeu tout en l'accomplissant, c'est de joindre l'impudeur au forfait. Rien n'égale le plaisir de celui qui abat ses cartes sans se compromettre.

Il fit pivoter sa chaise, débrancha la prise, posa la bouilloire, disposa les tasses sur un plateau en jetant un sachet de thé dans chacune. Quand il se retourna, il avait de nouveau ce sourire qui me mettait hors de moi, ce sourire où il y avait une provision d'armes et de flèches.

— Si vous saviez, Didier, comme le public a ri hier soir de votre bévue. Ce matin l'équipage ne parlait que de ça. Ces Méditerranéens, deux femmes qui couchent ensemble, ça leur échauffe l'esprit. Le contraste de votre vilaine conduite avec la douceur de Béatrice vous a aliéné tous les esprits. Tenez, une dame me disait après votre départ : '' Ça aurait été bien dommage qu'elle fût fidèle à un cochon de cette espèce. ''

— Franz, taisez-vous !

Ses moindres paroles m'étaient un scalpel qui m'incisait les chairs. Il recommençait à me tourmenter, j'aurais voulu le lapider de mes insultes !

— Cocu attrapé...

— Comment ?

— Je disais cocu attrapé, c'est vous : homme médiocre qui, après quelques années de concubinage, voulant améliorer l'ordinaire, courtise quelque poulette de passage et voit sa douce moitié lui ravir sa poulette au moment où il allait la croquer. Il devient le jouet du public qui rit d'un événement auquel chacun s'attendait, excepté le vilain qui l'a provoqué par ses maladresses.

— Vous êtes vraiment répugnant.

— Je sais. Rien ne m'exalte plus, Didier, que votre aversion pour moi. En un sens, heureusement que vous n'avez pas réussi auprès de mon épouse, l'intendance n'aurait pas suivi. Bienveillante comme l'est Rebecca, elle aurait ébruité le désastre, ce fiasco vous aurait déconsidéré. Au moins, ses illusions sont-elles intactes... quoique, quoique... Béatrice lui a confié vos déboires les premières semaines.

— Mes déboires ?

— Oui, vous me comprenez ; vous avez mis, paraît-il, plus d'un mois avant de pouvoir lui rendre vos hommages...

Cette allusion à un épisode secret de ma vie amoureuse avec ma compagne — un excès d'émotivité m'avait empêché d'être son amant quelques semaines durant — me fit entrer dans une rage folle.

— Béatrice vous a parlé de cela ?

— A moi, non ; à Rebecca qui me l'a répété aussitôt.

— Vous êtes ignoble, Franz...

— Tout le monde sait que les intellectuels sont de grands émotifs. Finalement, vous et moi, nous en sommes au même point. Avec ou sans, les résultats sont identiques.

— Cette fois la mesure est comble, dis-je, en me levant, vous ne m'avez rien épargné.

— C'est vrai, vous avez subi de ma part une dose considérable d'humiliation, et pourtant vous n'avez encore rien vu.

— J'en doute car je pars.

— Mais non, votre lâcheté vous rend capable de supporter n'importe quel affront.

Cette dernière malveillance, l'atmosphère étouffante qui oppressait mes nerfs firent que je l'insultai en ouvrant la porte.

Des douleurs fulgurantes me transperçaient la tête d'une tempe à l'autre. Franz eut un ricanement théâtral de traître victorieux puis ajouta en parlant très vite :

— Là je vous sens mûr, bien à point. C'est vrai ; je n'ai jamais eu qu'une intention, celle de vous nuire. Et voyez-vous, ce n'est pas sur quelques pieds d'ordure que je veux élever notre amitié mais sur une pyramide de fumier. Et mon récit n'était lui aussi qu'une mauvaise action. A mesure que j'y progressais, que je vous voyais pris dans la trame des phrases, je sentais s'affermir en moi la volonté d'utiliser cette confession à d'autres fins. J'avais flairé en vous le gogo prêt à succomber, c'était une occasion qui ne se représenterait peut-être jamais. J'ai cru échouer bien souvent ; mais vous retombiez dans mes panneaux avec une telle docilité. Ma victoire est verbale, je la dois à la justesse des mots.

— Votre victoire ? Quelle victoire, puisque je m'en vais.

— Non, Didier, vous ne m'échapperez pas cette fois. Vous allez être témoin d'un accident. Mais c'est vous qui serez condamné car on ne me soupçonnera jamais.

Je me tenais dans l'embrasure de la porte, un pied dehors, prêt à partir. J'aurais dû sortir à l'instant ; j'eus une seconde d'hésitation qui me fut fatale. Alors il arriva une chose terrible. Avant que j'aie eu le temps de faire un pas, l'infirme avait incliné la bouilloire et renversé quelques gouttes autour du visage de Rebecca, sur l'oreiller. Non, il n'allait quand même pas ! Si je m'étais enfui sur-le-champ, privé de témoins, il n'aurait pas osé accomplir son forfait. Hélas, dans un élan de solidarité irréfléchie, et comme devant le chat qui se noyait à Venise, je m'élançai sur lui pour le retenir. Il éclata de rire, d'un rire qu'on ne peut avoir que lorsqu'on n'est plus un homme. Et à peine lui avais-je saisi la main qu'il m'enferma dans l'étau de ses paumes, m'obligeant à incliner le récipient d'eau bouillante vers le visage de son épouse endormie.

Le reste tient en quelques mots. Il y eut une courte lutte : il était beaucoup plus vigoureux que moi ; j'avais beau raidir les bras à en avoir mal, j'étais impuissant contre les serres de ce malade où je sentais les forces d'une multitude. Il me broya si bien les mains que je cédai : le couvercle de la théière sauta, l'eau se renversa sur la figure de son épouse. Sous l'averse brûlante, la jeune femme se débattit, eut un cri étouffé, un gémissement de souffrance intérieure puis s'évanouit. Alors l'infirme se mit à hurler en anglais, à appeler à l'aide. Ses yeux étincelaient, le sang lui était monté à la figure, une respiration haletante lui soulevait la poitrine. Je m'affolais, tentais de me dégager, de redresser la bouilloire, mais Franz me terrassait et maintenait mon bras tordu ; entre deux cris, il riait comme s'il sympathisait avec le liquide qui carbonisait la peau de Rebecca et portait l'agonie jusque sur la poitrine. Soudain, il y eut dans les coursives un bruit de course précipitée, un marin fit irruption dans la cabine et je reçus un coup sur la nuque. Quand je me réveillai, j'étais ligoté, entouré d'hommes menaçants. Franz, livide, un doigt pointé sur moi, hoquetait :

— Il voulait la tuer, j'ai tenté de l'en empêcher mais je ne suis qu'un handicapé sans force, il a voulu tuer ma femme...

Épilogue

J'étais depuis un mois dans une prison d'Istanbul. Le sol tanguait encore comme si je n'avais pas quitté le bateau. Seul, loin de tous, dans une contrée étrangère, au milieu de compagnons de cellule hostiles, perdu pour la seule femme que j'aimais, je tombai dans une profonde prostration. Une fois par semaine, je suivais en chancelant les policiers qui me conduisaient jusqu'à mon avocat, maître D., membre du barreau d'Istanbul désigné d'office par le tribunal. Mon cas était sérieux, il ne le cachait pas. Le flagrant délit avait joué contre moi, tous les témoignages m'étaient défavorables, particulièrement ceux de Raj Tiwari et de Marcello. Il me conseillait de plaider coupable. Il m'avait déjà extorqué une provision de plusieurs milliers de dollars et, connaissant la corruption de l'administration turque, je craignais qu'il ne continue à me rançonner pour des résultats nuls. La seule chose qu'il avait pu m'obtenir était une visite de Béatrice. Je la vis vingt minutes, entre deux gardiens, dans une petite pièce lépreuse. L'entretien fut un échec : elle croyait à ma culpabilité et refusa d'entendre mes arguments. Mon attitude sur le paquebot l'avait écœurée et elle n'envisageait plus de reprendre la vie avec moi. Elle allait continuer le voyage et partir en Inde avec Marcello, devenu vraisemblablement son amant. Au terme de la loi nationale, je risquais au moins vingt ans, le délit ayant été commis sur un bâtiment turc dans les eaux territoriales turques. Les autorités consulaires françaises ne pouvaient rien pour moi : les crimes autres que le trafic de drogues ou de passeports n'étaient pas de leur ressort. Je passais toutes ces semaines dans un état d'affliction et de mépris de moi-même. Convaincu que, par ma faiblesse, j'avais contribué au martyre d'une femme, je finissais par me croire responsable, à penser ma condamnation justifiée et j'emmagasinais de l'amertune comme une plante qui pourrit sur pied. Prévenu par lettre, mon père devait arriver à Istanbul avec une nouvelle provision d'argent pour les frais du procès. C'est dans ces sombres perspectives que je reçus une lettre de Franz :

Cher Didier,

Comment vous exprimer ma gratitude ? Certes, je vous avais bien poussé à bout, mais tout de même cet excès de mauvaise humeur... On dirait que vous m'avez offert sur un plateau une vengeance que je n'osais même pas imaginer. Votre tort a été de prendre mon bluff au sérieux. Je ne vous en veux pas : cette affaire fige nos querelles dans une éternité dérisoire.

Merveilleuse science médicale : elle n'a rien pu pour moi, elle n'a rien pu pour Rebecca. Le nerf optique n'a pu être ranimé ; quant aux brûlures, elles sont irrémédiables. Le clignotement de l'œil vivant forme un contraste repoussant avec l'inertie de l'œil mort, cet œil vitreux empreint d'une involontaire méchanceté. Tous les jours à l'heure où vous l'avez « inondée », elle sanglote de son œil unique, l'autre restant sec. Elle ne plaira plus ; je veux dire la borgne ne plaira plus qu'à moi, l'éclopé. Elle voit les beautés du monde, le fouillis des rues, mais nul ne la regarde car on ne regarde pas les monstres. Chacun porte sur soi les stigmates du combat. Grâce à vous, nous vieillirons ensemble : l'équilibre est rétabli. De nouveau, je suis tout pour elle, nous formons un admirable couple d'épouvantails. Vous étiez un petit monsieur inutile avant de nous rencontrer : vous avez renoué l'une à l'autre deux âmes.

Savez-vous pourquoi j'aime ce dénouement ? Parce qu'il n'est dû qu'à votre maladresse, votre touchante maladresse. Aujourd'hui, la tragédie ne s'abat plus sur les hommes par malédiction ; elle naît de leur gaucherie. On tombe dans le malheur en gaffant, par une suite de gigantesques faux pas. Nos drames ne sont pas seulement douloureux : ils souffrent du handicap supplémentaire d'être ridicules. Nous n'avons même plus l'excuse de la fatalité.

Je suis soulagé : je vais cesser d'insulter tout ce qui vit sur terre et sous les cieux. J'ai même l'intention de retravailler : après deux ans d'inaction, mon métier m'intéresse à nouveau. Rebecca va peut-être ouvrir un salon de coiffure : on revient toujours à ses origines. J'ai maintenant entre nous le sentiment d'une inaltérable égalité : nous nous entendrons toujours assez pour nous maudire à perpétuité.

En somme et voici l'objet de ma lettre : je retire ma plainte contre vous. Je rétracte mes aveux et vous conseille de plaider la thèse de l'accident. Grâce à moi, vous aurez connu la prison, expérience piquante pour un pédagogue. Tirez-en donc un livre.

Vous étiez las d'être vous-même mais sans trouver la force d'être un autre : vous n'aviez pas le talent de vos ambitions. Vous avez tenté d'ouvrir une fenêtre qui s'appelait l'Orient. Il vous a fallu peu de temps avant de réaliser qu'il s'agissait d'un trompe-l'œil. Vous partiez déjà bancal, tout fissuré de l'âme : le sol sur lequel vous preniez appui était lézardé. Faites comme moi de l'Asie l'utopie d'un ailleurs : cela vous dispensera d'y aller. Croyez-moi, il n'y a pas d'issue géographique. « Renonce à ce monde, renonce à l'autre monde, renonce au renoncement », disait un mystique musulman.

Autre chose encore : ne vous apitoyez pas trop sur votre malheur (vous devez me trouver un insupportable ton de moraliste : que voulez-vous, nous nageons dans les bons *sentiments). Considérez qu'en dépit de votre malchance, les grandes égarées restent les femmes: on a tant parlé d'elles qu'on a simplement oublié de se pencher sur leur sort. En cette fin de siècle, il est encore préférable de se décliner au masculin qu'au féminin. En politique comme en amour, la seule position juste est de se mettre du côté des perdants.*

Un dernier mot sur Béatrice: elle nous a écrit pour prendre des nouvelles de Rebecca. Marcello a disparu une nuit à Goa en emportant toutes ses affaires et son argent: il semble que, sous son influence, elle ait pris goût à l'héroïne et soit prête à tout pour s'en procurer, y compris à se prostituer auprès des riches Saoudiens et Yéménites qui viennent se faire soigner à Bombay. Quel chemin parcouru depuis le petit lycée de banlieue où elle enseignait les langues! La voilà qui forme avec quelques milliers d'Italiens et de Français la dernière vague d'enfants hagards venus entre Katmandou et Panaji capoter sur le mirage indien. Qu'ils y crèvent, dans leur bourbier oriental, tous ces intoxiqués de la terre promise! Ne lui en veuillez pas pourtant: elle est caractéristique de ces femmes de trente ans qui pensaient changer leur vie en goûtant à tous les plaisirs et se retrouvent aussi flouées par cette émancipation que leurs mères l'avaient été par l'ordre matrimonial. Je vous laisse: cette conclusion s'ensable dans des clichés humanistes. Consolez-vous avec ce lieu commun: il est des victoires qui mènent à l'impasse comme il est des défaites qui ouvrent des voies nouvelles.

Mon procès ne se déroulera qu'en juillet. Les jugements d'extrémistes politiques ont terriblement retardé en Turquie l'arbitrage des délits de droit commun. L'avocat m'a promis un non-lieu, moyennant un dernier versement de deux mille dollars: je sortirai donc à la date où j'aurais dû rentrer en France

Je vais apprendre par cœur le *Guide bleu* : si l'on m'interroge à mon retour, j'aurai de quoi répondre.

Avec surprise, je m'aperçois que Béatrice a entièrement disparu de mon esprit. Comme si elle n'avait jamais existé, comme si nous n'avions jamais pris le bateau ensemble pour un pèlerinage qui dégénéra en pantalonnade. Quelques semaines ont suffi pour user son image que plusieurs années avaient patiemment élaborée, polie. Elle était une impasse de l'amour qui voulait se donner pour la voie.

Un par un, je l'espère, tous les figurants de cette farce s'éclipseront de ma mémoire. Et un jour, que je souhaite proche, leurs noms n'évoqueront plus rien pour moi ! Pas même la haine ou l'offense. Déjà, j'ai appris que le *Truva* avait été désarmé pour raisons financières ; du 28 décembre au 1ᵉʳ janvier, il a effectué avec nous son dernier voyage.

La semaine passée, mes parents m'ont rendu visite. On m'a transféré dans une autre prison au régime plus libéral, réservée aux délinquants européens. Cette prison s'appelle : « Sàrk ». J'ai demandé à mon avocat ce que cela signifiait en turc. Il m'a répondu : l'Orient.

Table

IMPRIMERIE BUSSIÈRE À SAINT-AMAND (7-90)
D. L. 2ᵉ TRIM. 1982. Nº 6186-4 (1864)

Collection Points

SÉRIE ROMAN